Agnieszka Stefańska

EXTRA VERGINE

Świat Książki

Projekt okładki
Małgorzata Karkowska

Zdjęcie na okładce
ZEFA

Redaktor prowadzący
Elżbieta Kobusińska

Redakcja merytoryczna
Jerzy Lewiński

Redakcja techniczna
Katarzyna Krawczyk

Korekta
Irena Kulczycka
Jolanta Spodar

Świat Książki
Warszawa 2003

Skład i łamanie
Joanna Duchnowska

Druk i oprawa
Białostockie Zakłady Graficzne SA

ISBN 83-7311-985-X
Nr 4136

Kiedy niemiecki dwupłatowiec wylądował na dachu domu mojej prababki, ta, przeświadczona o bliskim końcu swej egzystencji, zdążyła pomyśleć o trzech rzeczach: o świętym Jerzym ukazującym się pod postacią jelenia, o balii z niedokończonym praniem i o tym, że przyjdzie jej umrzeć dziewicą.

Pierwszy samolot, który przeorał niebo nad Anielinem, mógł na zawsze zmienić losy moje i mojej rodziny, odbierając mojej prababce życie, a co za tym idzie – radość z poczęcia mojej babki, tej zaś mojej matki, a w końcu i mnie: Julii Bałuckiej.

I choć w owej chwili, gdy z trzaskiem załamywała się konstrukcja krytego strzechą dachu, Zofia pomyślała, że takie jest widać jej przeznaczenie, nic nie wskazywało, by miało się ono wypełnić – prababka szczęśliwie przeżyła. A wraz z nią (co doprawdy zakrawało na cud!) przeżył pechowy pruski pilot, któremu tuż nad naszym podwórzem zabrakło paliwa. Mówiono, że właśnie ów pusty bak i upadek na słomiany dach uratowały mu życie.

Zofia cudowne ocalenie gotowa była raczej przypisywać interwencji świętego Jerzego, za najlepszy zaś dowód oddziaływania sił wyższych uważała pojawienie się rzeczonego świętego tuż przed śmiercią. Prababka była tak mocno przekonana o prawdziwości swojego objawienia, iż nigdy nie znalazł się śmiałek chcący je podważyć.

* * *

– Prusak musi zostać! – oznajmiła Zofia.

Rodzina niechętnie kręciła głowami. Ukrywać w czasie wojny wroga? Nikomu we wsi nie uśmiechała się perspektywa tej niezwykłej, nawet jak na owe czasy, gościny.

Nieustępliwość Zofii sprawiała jednak, że niektórzy zaczęli dawać wiarę idei boskiej interwencji. Wszak następny „metalowy ptak" miał pojawić się tu dopiero dwadzieścia dwa lata później, przy okazji następnej wojny rozpętanej przez współplemieńców Jürgena.

– Święty Jerzy w odpowiedzi na moje modlitwy zrzucił go z nieba. Dla mnie! – upierała się.

I chyba rzeczywiście coś w tym musiało być, bo jeśli przyjąć, że Bóg prawdomówność szczodrze wynagradza – a w zagrodzie braci Zofii wkrótce po tym zdarzeniu maciora wydała na świat aż siedmioro prosiąt – moja prababka nie mogła kłamać.

– Niech zostanie... – orzekła wioskowa starszyzna. – Ale ptaka z żelaza trzeba zakopać za kościołem, żeby z tego jakiegoś nieszczęścia nie było.

*

Tak też się stało. Kiedy dwudziestoczteroletni pilot pruski Jürgen z Guttstadtu powracał do zdrowia, jego drogocenna latająca maszyna wraz z całym ekwipunkiem leżała dobre cztery metry pod anielińską ziemią, w miejscu, gdzie bagnisty grunt zabiera wszystko prędzej niż ogień piekielny.

– *Wo ist meine Maschine? Wo sind meine Bücher?!*
Każdorazowo, kiedy Prusak odzyskiwał przytomność, z niezrozumiałym dla innych uporem dopytywał się o wszystko, co prawdopodobnie miało związek z ekwipunkiem przewożonym w samolocie. W odpowiedzi prababka z tajemniczym uśmiechem Giocondy na twarzy czule głaskała chłopca po rozpalonym czole. Mimo iż od lat panował w szkole przymus nauki języka zaborców, Zofia nie rozumiała ani słowa. Wszak prawdą jest, że my, Polacy, szczycimy się, iż pod przymusem nie jesteśmy w stanie nauczyć się nawet najprostszej rzeczy z mowy wroga. Choćby to miało być abecadło...

* * *

– *Wo-sind-meine-Bü-cher?*
Głos nauczyciela z gminnej szkoły w Anielinie przywołał mnie do rzeczywistości. Preceptor zadawał każdemu dziecku po kolei proste pytania, rozbijając słowa na sylaby. Nie doczekał się odpowiedzi. Spuściłam głowę, by nie dostrzegł mojego wzroku i nie wywołał mnie z ławki. Pytanie było zbyt proste, aby nie znać na nie odpowiedzi, a jednocześnie nie pragnęłam niczego bardziej niż być jak

tamte dzieci pogrążona w słodkiej niewiedzy dotyczącej kwestii „gdzie są książki pana nauczyciela".

Pech! Palec nauczyciela z odległości pięciu metrów precyzyjnie wskazywał jakiś punkt na moim czole.

– A teraz – głos nauczyciela zabrzmiał triumfalnie – ktoś wam wreszcie, wiejskie osły, pokaże, jak należy uczyć się języka niemieckiego!

Zdrętwiałam. Czułam się skompromitowana, napiętnowana wyniesioną z domu znajomością znienawidzonego przez dzieciaki „szwabskiego". I kto wie, czy przez całą przerwę nie stałabym samotnie w kącie szkolnego korytarza jako przemądrzały szkop, gdyby nie właśnie zainstalowany w naszej szkole jazgotliwy dzwonek elektryczny, włączający się i wyłączający bez powodu. Cała zgraja rozkrzyczanych dzieciaków jak na komendę wyskoczyła z ławek i rozpychając się teczkami, rzuciła się w stronę drzwi. Dzięki ci, święty Jerzy, patronie naszej rodziny!

Złożyłam zeszyt, bo wspomnienia ożyły bardziej, niż zamierzałam im na to pozwolić, a ciągłe bujanie wagonu uniemożliwiało szybkie pisanie.

Pociąg miarowo wybijał takt jakiejś nieznanej i męczącej melodii. Dźwięk ten męczył mnie jak większość dobiegających do nas odgłosów. Zgrzyt mijanych zwrotnic brzmiał skrzekliwie i nieprzyjemnie łaskotał delikatne ściany labiryntów moich uszu. A te miałam bardzo wrażliwe.

*

Mówi się, że każdy człowiek rodzi się z jednym talentem. Czasem nie odkrywa go nigdy, lecz ten talent sprawia, iż wszyscy jesteśmy wyjątkowi. Ja swój dar odkryłam we wczesnym dzieciństwie: miałam znakomity słuch. Zawsze potrafiłam rozpoznać piękno i brzydotę dźwięków, odróżnić banalne od tych zupełnie niezwykłych. Ze stuprocentową pewnością oceniałam, który utwór stanie się hitem, a który na zawsze pogrąży się w ludzkiej niepamięci.

Znajdowałam prawdziwą przyjemność w obserwowaniu ludzi przez uszy, mój tajemniczy detektor dźwięków. Zadziwiające, że wkrótce odkryłam rzeczy niezwykłe, choćby jak osobliwie w ludzkiej mowie brzmi strach czy kłamstwo.

Opisanie losów rodziny miało stanowić doskonałą ucieczkę przed wszystkimi otaczającymi mnie dźwiękami, nieodkrytą teraźniejszością i obcą, daleką przyszłością. W psychologii – nauce, którą niegdyś tak kochałam, iż postanowiłam poświęcić jej pięć lat niedokończonych studiów – moje postępowanie miało nawet swoją nazwę. Próbowałam ją sobie przypomnieć, lecz pociąg właśnie pokonywał zwrotnicę i przykry piskliwy łomot przegonił z mojej pamięci rodzącą się myśl.

Także mężczyzna siedzący naprzeciwko mnie pod wpływem jazgotu kół przebudził się ze snu i ze zdziwieniem rozglądał po przedziale.

Szybko ukryłam brulion przed wzrokiem nieznajomego.

Byliśmy sami.

– Kiedy zasypiałem, pani tu nie było.

– Nic dziwnego, rozsądni ludzie w dzisiejszych czasach nie jeżdżą pociągami, to zbyt niebezpieczne – wyjaśniłam, choć zapewne było to tak oczywiste, że aż niewarte komentarza.

Właściwie zrobiłam to tylko ze względu na jego niecodzienny wygląd. Mężczyzna miał na sobie wełnianą kraciastą marynarkę i przekrzywiony beret. Ciekawa byłam, czy zdaje sobie sprawę, że teraz nikt tak się nie ubiera. W kraju, który ledwo wykaraskał się z komunizmu, a teraz zmagał się z najciemniejszymi stronami kapitalizmu, nikomu by nawet do głowy nie przyszło wyglądać jak angielski arystokrata. Po prostu było to niestosowne i wszyscy to jakoś podświadomie wiedzieliśmy.

– A pani się nie boi? – zainteresował się, intonując pytanie niczym teatralny aktor starej daty.

– Nie.

Miałam ochotę przyznać, że się boję, ale to jego osobliwy, staroświecki wygląd sprawił, iż odważyłam się wsiąść do tego przedziału. I jego głos – dziwnie, przyjemnie znajomy...

– Ten pociąg jedzie spod samej niemieckiej granicy, wie pani? Pomyślałem, że skoro jedziemy w jedną stronę i nie przeszkadza nam potencjalne niebezpieczeństwo, grożące ze strony kolejowych wandali, możemy trochę porozmawiać.

Mężczyzna zrobił pauzę.

– Tak... – stwierdziłam. Jego dykcja na pewno musiała mieć coś wspólnego ze sceną.

– Lubię rozmawiać z ludźmi, poznawać koleje ich życia, to mój zawód – ciągnął swoim wspaniałym głosem. – A ludzie uwielbiają mówić... Pani, zauważyłem, pisze pamiętnik?

Mężczyzna wskazał brodą brulion, który bezskutecznie próbowałam wsunąć pod siedzenie.

– To niezupełnie pamiętnik – odburknęłam. Mogłam to zrobić nieco grzeczniej, lecz nie miałam ochoty rozmawiać.

– Niezupełnie?

Uśmiechnął się rozbrajająco. Nie mogłam go zlekceważyć.

– To rodzaj autoterapii. Piszę o sobie i swojej rodzinie.

– I...?

– Co: i...?

– Nie wiem. Zawsze jest jakieś i. Wszyscy tęsknimy do rodzinnego domu, a jednocześnie pragniemy się od niego uwolnić. A należy go przyjąć.

Patrzył na mnie tak, jakby wiedział o moim życiu więcej, niż powinien. Kim był? Prababcia Zofia mówiła, że jej święty Jerzy też nosił beret, kiedy było zimno. A dzisiaj na dworze był mróz.

– No dobrze – zgodziłam się. – Skoro mamy się nigdy nie spotkać, a łączy nas tylko ta jedna jedyna podróż, opowiem panu, jak święty Jerzy zesłał mojej prababce miłość.

– Doskonale! – mój towarzysz zatarł ręce. – To mój imiennik.

* * *

11

Zniszczenie drogiej i nowoczesnej maszyny zniweczyłoby karierę wojskową Jürgena. Może nawet trafiłby pod sąd wojenny? Kto wie? Wszystkich więc zdziwiło, iż zamiast cieszyć się, że nie musi wracać do pruskiego hangaru, słaniający się na nogach, wciąż jeszcze bardzo osłabiony pilot całe dnie spędzał na przekopywaniu bagien za kościołem w poszukiwaniu szczątków swojej latającej maszyny. To, że nic nie znajdzie, było od początku oczywiste dla każdego. Ale nie dla Jürgena.

Owa nieznajomość praw, jakimi rządziło się przykościelne bagno, pogłębiła tylko w ludziach przekonanie, że ród germańskich okupantów, choć bardzo zawzięty, nie jest stworzony do wyższych czynności myślowych.

Prusak kopał zatem i kopał, a Zofia siedziała obok niego, nie odzywając się ani słowem. Przekopywanie bagna nawet najwytrwalszemu Niemcowi wcześniej czy później musi się wydać bezsensowne.

Ten moment nastąpił w dzień Bożego Ciała tysiąc dziewięćset siedemnastego roku, kiedy to po raz pierwszy przerwał kopanie, by popatrzeć na Zofię. Siedziała w cieniu wierzby w prostej, niebieskiej sukience i z braku innych zajęć, nie zwracając uwagi na Jürgena, rozczesywała swoje gęste, czarne włosy.

Ruchy jej rąk, malujące się na twarzy znudzenie i senność komuś innemu wydawać by się mogły najbanalniejsze pod słońcem, ale germański żołnierz dostrzegł w nich coś erotycznego, spotęgowanego w jego umyśle przez każdy tydzień, każdą godzinę wstrzemięźliwości.

Swoje spostrzeżenia z precyzją godną ścisłego umysłu postanowił poddać empirycznym badaniom polegającym na stałej obserwacji młodej brunetki. Wierzył, że naukowa dociekliwość będzie najlepszym alibi w razie ewentualnego posądzenia o wścibstwo, ciekawość i brak taktu.

Zauważył, że kobieta jest niezbyt wysoka, ale za to powabnie zaokrąglona. Jej kruczoczarne brwi zrastały się zabawnie nad oczami, tworząc jakby mostek nad nasadą nosa. Próbował nawet nadać kształtowi jej brwi jakąś naukową nazwę, lecz ku własnej rozpaczy do głowy przychodziło mu tylko jedno określenie: że jest... uroczy!

Z każdym kolejnym dniem Jürgen obserwował moją przyszłą prababkę coraz dłużej i wnikliwiej, aż któregoś dnia spostrzegł, że poszukiwania samolotu stały się jedynie pretekstem do zajmujących oględzin.

Dziwiło go, że Zofia nie zna uczucia nudy, tak znamiennego dla miejskich dziewczyn, które widywał w rodzinnym Guttstadcie. Jednego dnia szyła prześcieradło, innego dnia haftowała kapę. Następnego znów powoli zaczynała robić na szydełku serwetę.

Czy gdyby wiedział, że owa Rusałka, Nimfa z Ludu, jak ją w myślach nazywał, szykuje wiano na ich wspólne wesele, mniej by podziwiał jej spokój i opanowanie? Tak czy inaczej, gdy mężczyzna patrzy tak uparcie, a kobieta na to mu pozwala, musi *coś* z tego wyniknąć. Zwłaszcza wtedy, gdy mężczyznę zsyła z nieba sam święty Jerzy...

Pradziadek Jürgen, od którego pochodzenia nasza rodzina wzięła nazwisko Pruski, szybko zrozumiał, że świeżo poślubiona małżonka niczym nie przypomina jego niemieckiej Mutter, jedynej kobiety, jaką znał, i jedynej, której autorytetu nigdy nie śmiał podważyć. Spowodowało to, że cała jego dotychczasowa wiedza na temat kobiet okazała się mało przydatna.

Mutter z Guttstadtu nawet wyglądem różniła się od małej, czarnowłosej Poleczki. Była wysoka, chuda i niezmiennie poważna, co sprawiało, że nawet ci, którzy nie mieli na to ochoty, musieli się z nią liczyć.

Mutter wierzyła, że kilkakrotna głośna modlitwa w ciągu dnia zbawi każdego, gdy tymczasem Zofia nie była wcale tego taka pewna. Pewnie dlatego nie zaganiała Jürgena do wspólnych modłów, ale i sama nie modliła się często.

Mutter żywiła także głębokie przekonanie, że dzielenie łoża z kobietą to rozpusta i grzech, w rezultacie prowadzące do uwiądu męskich narządów. Ponieważ miała na to również wiele pouczających i barwnych przykładów, chętnie dzieliła się nimi z synem, mrożąc krew w żyłach malca.

Teraz, kiedy w dorosłym życiu w pełni poznał przyjemność, jaką daje posiadanie owych skalanych grzechem narządów, bardzo go martwiło, że miłość do żony niechybnie ściągnie na jego męskość straszliwą plagę niemocy. Zagrożenie powiększał fakt, że Zofia, w przeciwieństwie do Mutter i znanych jej pań, uwielbiała często i długo się kochać z podarowanym jej przez niebiosa Prusakiem.

Podejrzewano, że to nie interwencja świętego, lecz raczej nieco przydługie panieństwo i strach przed dozgonnym dziewictwem obudziły w Zofii niezwykły dla prostych kobiet miłosny ogień. Miała już przecież prawie dwadzieścia pięć lat i jej natura domagała się nadrobienia straconych lat.

Minęła szara jesień, jałowa zima, a później wiosna. Nie nastąpiło jednak to, co powinno się stać. Choć miłość między małżonkami była o wiele bardziej gorąca niż między innymi kobietami i mężczyznami we wsi, to tylko w innych domach, a nie u nich, przychodziły na świat dzieci.

Niebawem skończyła się wojna, którą później nazwano pierwszą wojną światową albo wielką wojną. Polska wybiła się na niepodległość, dzięki czemu bracia Zofii odzyskali spokój sumienia, dręczonego dotychczas myślą o zakopanym pod stodołą wraku niemieckiego dwupłatowca. Jeśli wcześniej przeleciała komuś przez głowę niedorzeczna myśl, że są niesfornymi gośćmi w ojczyźnie Jürgena, teraz nie było wątpliwości: byli u siebie!

Oficjalne przemianowanie wsi z Dorf Anelin na Anielin odbyło się przy akompaniamencie cygań-

skiej orkiestry i dziesięciu tuzinach butelek wódki.
Pradziadek Jürgen, który przysięgał prababce na zawsze pozostać pod tą samą strzechą, która uratowała mu życie, fetował uroczystość na równi z innymi. W życiu miejscowych nie zmieniało się nic, więc
czemu się nie bawić, skoro według ludowej mądro-
ści każda okazja do świętowania jest dobra, jeśli tylko nie narusza świętych praw Piotrowego Kościoła.

Zofię tymczasem trapiły zupełnie inne, mniej we-
sołe myśli.

Jasnowłosi synowie i córki Jürgena, którzy za-
pełniali świat jej snów i marzeń na jawie, nie chcieli
zamieszkać w jej brzuchu, choć wspólnie z mężem
zapraszali ich tam co noc.

Próbowała piekących ciało maści i specjalnych
modlitw do świętej Elżbiety, patronki zwiastowań
narodzin. Była nawet na specjalnej pielgrzymce do
klasztoru w Studziannie. Na próżno! Znienawidzona krew miesięczna i tym razem, jak równo cztery
tygodnie wcześniej, bezwzględnie przepłukała jej
łono.

Kiedy wszystkie fizyczne i biologiczne przyczyny
niepłodności moich praprzodków zostały wyklu-
czone, stało się jasne, że źródło ich kłopotów musi
leżeć gdzie indziej.

Długo zastanawiano się, myślano, przeczesywano
teraźniejszość i przeszłość małżonków, szukano nie-
uregulowanych długów, czarów i uroków rzuca-
nych przez wiejskie „babki" oraz zwodnicze nimfy

bagien i jezior. A kiedy już przegoniono wszystkie duchy przeszłości, na firmamencie ich rodzinnego szczęścia ostała się tylko jedna postać...

Mutter!!! To słowo spadło na Zofię niczym objawienie, istny grom z jasnego nieba. Gdzieś daleko, w obcym kraju, w którym nigdy nie była, miała teściową opłakującą śmierć jedynego syna. Mutter przez wszystkie długie tygodnie, które minęły od chwili, gdy Prusak wylądował na krytym strzechą domu prababki, musiała wierzyć, że strącony nad terytorium wroga Jürgen zginął męczeńską śmiercią bohatera wojennego.

Te same myśli trapiły też pilota. Już niejednokrotnie wcześniej, w czasie Weihnachten (jak zwykł nazywać Boże Narodzenie), gnębiły go wyrzuty sumienia, iż pozwala matce nosić po sobie żałobę, zamiast dzielić z nią swoje spokojne i proste szczęście. Zaraz potem sentymentalne myśli pradziadka Jürgena rozpływały się jednak jak śnieg na przednówku. Był szczęśliwy. Z dala od codziennych modlitw, Mutter i pruskiego wojska. Jeśli była rzecz, której zdarzało mu się żałować, to od dawna leżała pogrzebana w przykościelnym bagnie.

Z rozważań wyrwał go głos Zofii:
– Jurguś, jeśli urodziłabym ci dziewczynkę, to może byśmy naszą małą nazwali Mutter? Na pamiątkę twojej matki? Nie sądzisz, że byłaby zadowolona?
– Nie możemy.

– Dlaczego? Prusacy nie nadają dzieciom imion po przodkach? U nas nawet królowie tak robili. A Mutter to zupełnie niebrzydkie imię... Chociaż są, oczywiście, ładniejsze!

Jürgen chętnie przytakiwał, że są imiona ładniejsze od „Mutter", które tak naprawdę nawet nie było imieniem, i rozmowa szybko się kończyła.

Tym razem jednak prababka uparła się nie na żarty. Codzienne rytuały polecone przez zamawiaczkę uroków nie uspokajały jej sumienia, więc postanowiła pierworodne dziecko poświęcić pamięci nieznanej teściowej.

I tak na świat miała przyjść Stanisława Mutter Pruska, moja cioteczna babcia.

Jürgen z Guttstadtu, mój pradziad z krwi i kości, nie potrafił zrozumieć, jak jakieś pogańskie wierzenia i gusła mogą wpłynąć na przyjście na świat jego potomstwa. Wszak tylko Pan Bóg i Matka Natura decydowali, co może się zdarzyć, a co jest niemożliwe...

Jednak i tym razem przekonał się, jak omylny może być logiczny umysł wykształcony na pisanych gotykiem podręcznikach i chrześcijańskiej Biblii. Na świat przyszła bowiem nie tylko Stanisława Mutter; zaraz po niej urodzili się Tadeusz i Alina – moja babcia.

* * *

Szczęście, niczym wrześniowe prawdziwki, lubi zjawiać się parami, a czasem nawet całymi gromadami. Tak się więc złożyło, że czas urodzin dzieci był najlepszym okresem dla wsi, która od kilku wieków – oprócz charakterystycznych dla Europy Wschodniej ziemniaków i żyta – uprawiała rośliny oleiste. Gorące, długie lata i krótkie, mroźne zimy tak zintensyfikowały rozkwit lnu i rzepaku, że anieliński olej zasłynął jak kraj długi i szeroki. Po beczułki wypełnione złotym, kleistym płynem przybywały ze wschodu i zachodu drewniane wozy konne.

W pewne pachnące rzepakiem anielińskie lato Jürgen wpadł na przedziwny pomysł zasadzenia na polu koło stodoły drzewa oliwnego, o jakim Mutter czytała w Biblii i jakie widział w ogrodzie botanicznym. Podobała mu się historia, że oliwki są największym darem bogów dla ludzkości, więc postanowił w ten sam sposób zrewanżować się wsi.

Zdobycie sadzonki egzotycznej rośliny nie należało oczywiście do najprostszych zadań, lecz Jürgen pamiętał, że bywająca na południu kontynentu arystokracja często przywozi do swych arboretumów dziwne drzewa i krzaki. Była więc nadzieja, że ktoś z wielmożów pokusił się o sprowadzenie drzewa oliwnego.

Trzy lata rozpytywał przyjezdnych, słał listy i ogłaszał się w gazecie „Maszyny i Rośliny Rolnicze", aż wreszcie nadeszła oczekiwana odpowiedź. Drzewko się znalazło. Przywiozła je do Polski pewna Greczynka, nauczycielka języków klasycznych z samego uniwersyteckiego Krakowa. Choć nigdy się nie wyjaśniło, jak owa Greczynka przeczytała

19

ogłoszenie w „Maszynach i Roślinach Rolniczych", fakt pozostawał faktem – drzewko Jürgena było już w kraju i zawiedzione nieurodzajną glebą królewskiego miasta czekało na przesadzenie.

Kolejne pół roku Jürgen myślał, jak ów cud natury sprowadzić do Anielina, aż wreszcie pewien flisak spławiający z Tatr drewno do niemieckich portów na Bałtyku obiecał przewieźć sadzonkę w miejsce ujścia Pilicy do Wisły. Stamtąd już miał zabrać ją Kanzel, żydowski kupiec bławatny, w zamian za osiem kur.

– Nic to w porównaniu z drogą, jaką oliwka przebyła z kraju Zeusa! – wzdychał pradziadek, gdy Zofię nachodziły wątpliwości, czy warto poświęcać pierwszorzędne nioski na tak niepewne przedsięwzięcie.

– Jezusa, Jurguś, Jezusa. Sam mówiłeś, że to biblijne drzewko – poprawiała cierpliwie męża, gdy ten przekręcał słowa na obcą, germańską modłę.

Tylko starcy, kaleki i rodzące kobiety nie wyszli w drugą niedzielę września powitać Kanzla wracającego wozem z zamorskim drzewkiem. Ludzie przekomarzali się, dociekając, jak ów cud może wyglądać. Przeważały opinie o wężowatych liściach i płożących się kwiatostanach o zapachu egzotycznych owoców. Inni zaś sądzili, że skoro z owoców drzewa uzyskuje się najlepszą na świecie oliwę, musi ono być niczym innym jak wyrośniętym ponad wszelką miarę krzakiem żółtego rzepaku.

Jedna śmiała fantazja goniła drugą, tak więc nawet Jürgen nie krył rozczarowania owiniętym w szmaty szarym patykiem o trzech nędznych listeczkach na końcu gałązek.

– To wszystko?! – zdziwił się, gdy Kanzel zażądał kur.

– Przekazuję, co mi dano – kupiec podrapał się w brodę.

I jemu egzotyczne drzewko wydawać się mogło nieszczególne, bo zamiast ustalonej wcześniej liczby niosek postanowił wziąć tylko jedną.

– Ale niech pan nie rezygnuje, Herr Jürgen – pocieszał pradziadka, klepiąc go po ramieniu. – Kto, jak nie pan i ja, ma wierzyć w postęp tego świata?

Ludzie rozeszli się po domach w głębokim przekonaniu, że ktoś – albo Kanzel, albo flisak z Krakowa, albo nawet sama Greczynka – wystrychnął Prusaka na dudka, bo krzak przypominający polną gruszę nigdy nie będzie dawać cudownej biblijnej oliwy. Jürgen zasadził więc swój dar dla Anielina w samotności, a na polu za domem towarzyszyła mu jedynie Zofia i ich rozbrykane dzieci.

Pół roku później wszyscy zapomnieli o drzewie oliwnym, które szczęśliwie przetrzymało zimę i rosło sobie powoli pod troskliwym okiem Jürgena.

* * *

Dzień był duszny i parny. W kuchni na potężnym kaflowym piecu gotowały się ziemniaki, a obok nich w ogromnym, blaszanym kotle wrzała woda na krochmal. Zofia otarła pot zalewający jej czoło, kiedy w drzwiach stanął młody mężczyzna z przewieszoną przez ramię marynarką. W tej samej ręce, na której wisiał całkiem niestosowny w taki upał męski żakiet, urzędnik trzymał teczkę.

– Pani Zofia Pruska? – mężczyzna odczytał nazwisko z kartki.

– Taaak – odpowiedziała z ociąganiem prababka.

Pojawienie się ludzi z urzędu jeszcze nigdy nikomu nie zwiastowało nic dobrego.

– Szukam niejakiego Jerzego Pruskiego *vel* Jerzego Kality *vel* Jürgena, obywatela pruskiego.

Zofia zdrętwiała. Jeśli w upał, jaki wówczas panował w kuchni, możliwe było bardziej spłynąć potem, mojej prababce to się udało.

Urzędnik, nie czekając na odpowiedź, zaczął się przechadzać po kuchni w tę i z powrotem.

– Ów obywatel, pani mąż, nosił pierwsze nazwisko Kalita. Kalita Jerzy, czy tak?

– No, tak... – potwierdziła prababka, przypominając sobie z wolna niejasne okoliczności rejestracji Prusaka na anielińskich ziemiach.

– W spisie mieszkańców odnotowano śmierć Kality Jerzego... Niech poszukam... – urzędnik sięgnął do teczki – w 1897 roku! Niedługo po urodzeniu.

Zofia milczała.

– Niech więc ktoś mi wyjaśni, jak obywatelka mogła poślubić rzeczonego nieboszczyka, który, pani wybaczy moją zuchwałość, zszedł z tego świata w kołysce, a następnie zmienić nazwisko i jeszcze spłodzić z nim trójkę dzieci?!!!

– Doprawdy, nie wiem...

Mina prababki wykazywała szczere zdziwienie faktem, że pod jej dachem mogło dojść do takich osobliwości natury.

– No, no, obywatelko!

Kiedy urzędnik zalany falą gorącego niczym wrzątek kuchennego skwaru opadł na ławę pod oknem i rozluźnił dopinany kołnierz przy koszuli, do pokoju wpadła Stasia. Miała wówczas szesnaście lat i opinię prawdziwej piękności.

Choć urzędnicy magistratu znani są jako osobnicy wyjątkowo bezduszni i nieczuli na piękno, ten zachowywał się zgoła inaczej. Z jego ust wydobył się niewyraźny jęk zdziwienia połączonego z zachwytem:

– A któż to?

– Córka. Według słów szanownego pana córka tego obywatela, który zszedł z tego świata w niemowlęctwie.

– Stanisława – dziewczyna skinęła grzecznie głową. – Stanisława Mutter – uzupełniła szybko.

– Dlaczego Mutter? – zainteresował się urzędnik. Jego rozgrzana upałem twarz płonęła ognistym różem. – Czy panienka jest już czyjąś matką?

– Co też panu urzędnikowi za świństwa po głowie chodzą! – oburzyła się prababka. – Najpierw te nieprzyzwoitości z niemowlęciem, a teraz z moją Stasią. Informuję szanowną władzę, że Mutter to takie eleganckie imię rodowe...

– Niemieckie? – urzędnik chytrze zmrużył oczy, zadowolony, że wreszcie wpadł na właściwy trop.

– Skądże!!! Rdzennie słowiańskie. Pan pewnie nietutejszy i mało zorientowany w lokalnych modach?

Urzędnik chrząknął, łypiąc okiem w kierunku pięknej dziewczyny. Po spływającym na szyję rumieńcu widać było, że w tym skwarze sprawa meldunku Jürgena powoli wyparowuje mu z głowy.

– Ja do tej panienki nic nie mam.

– To się widzi... – zauważyła z przekąsem Zofia, przyzwyczajona już do powodzenia córki. Jej zdaniem ogromne wzięcie, jakim cieszyła się latorośl Jürgena, było bardzo demoralizujące.

Tymczasem Stasia uśmiechnęła się jednym z tych uśmiechów, który topił serca wszystkich mężczyzn.

– Odprowadzę pana urzędnika do drogi. Na pewno uda mi się go przekonać, że niepotrzebnie fatygował się do naszego domu. Przecież wszystko jest w jak najlepszym porządku z papierami tatusia. Prawda, mamo?

– Eee, tak. Tak, córuś. Pan pójdzie ze Stasią, bo ja mam mało czasu... Dużo prania... Obiad...

Wyjaśnienia Zofii okazały się zupełnie zbędne, bo młody człowiek chwycił marynarkę i bez sprzeciwu ruszył za Stanisławą Mutter, wiedziony tym samym męskim instynktem, który Jürgenowi kazał zaprzestać poszukiwań w bagnach. Po raz kolejny kobiety z mojej rodziny wybawiały Jürgena z kłopotów.

Prawdziwe niebezpieczeństwo najczęściej kryje się pod niewinną fasadą – przyjemności, łatwości w zdobywaniu czegoś trudnego lub namiętności.

Z każdym przeżytym rokiem Jürgen coraz lepiej rozumiał naturę rzeczy. Nigdy nie podążał na skróty i coraz rzadziej zadowalał się łatwymi rozwiązaniami. Swoją filozofię próbował też przekazać dzieciom, chcąc wyrobić w nich przekonanie, iż jedynie nauka, wiedza i praca prowadzą do spełnienia misji człowieka.

Gdy zapadał zmierzch i kończyła się praca w lesie i na polach, ojciec wzywał Stanisławę, Tadeusza i Alinę do siebie, by wyjaśniać im naturę świata i konstrukcję samolotów. Ponieważ większość tego, co wiedział, potrafił przekazać jedynie po niemiecku, dzieci skazane były na przyswajanie tajemniczo brzmiących nazw, takich jak Spaltklappen czy Luftschraube.

– Daj dzieciakom spokój, Jürgen – prosiła Zofia. – Od tego szwargotania można sobie tylko język połamać. Żeby chociaż była pewność, że im to na głowę nie zaszkodzi...

Zagrożenie czaiło się jednak nie w szkodliwości niemieckiego słownictwa dla zdrowia potomków prababki, lecz całkiem gdzie indziej. Przedwcześnie dojrzała Stanisława Mutter, za nic mając nauki ojca, podjęła najniebezpieczniejszą grę na świecie. Zabawę z miłością.

* * *

– Nie bawię się z miłością! – odparowała matka. – Nie jestem jak ciocia Stasia. Daleko mi zresztą do niej pod wieloma innymi względami!

Tego akurat wcale nie byłam pewna, choć miałam dopiero dziesięć lat.

Mama zawsze uważała, że jest bez winy. A teraz miała to, na co zasłużyła – tata odszedł. Właściwie nie odszedł, ale wyjechał do obcego kraju.

– Nie wydzieraj się przy dziecku – zwróciła uwagę babcia Alina.

Zawsze nazywała mnie dzieckiem, nieważne, czy miałam rok, czy lat kilkanaście.

– Niech wie, jak to jest, gdy ktoś zostawia cię dla paru nędznych marek zarobionych na budowie. Czy chociaż możemy mieć jakąś pewność, że on mnie nie zdradza, że do nas wróci?

Mama miała rację – nie mogłyśmy.

Kiedy ojciec wyjeżdżał, byłam zadowolona. Emigracja do bogatych zachodnich Niemiec oznaczała dobre jedzenie, mięso z kolorowych puszek, buty na każdą porę roku i... pieniądze, których nie widzieliśmy w naszym domu od dawna. Wyjechali już prawie wszyscy, którzy mieli taką możliwość i choćby najmniejsze fundusze na zakup zaproszenia i bilet w jedną stronę. Niektórzy przyjeżdżali później do Anielina nowymi, błyszczącymi samochodami, inni nie pojawili się tu nigdy więcej.

Mama obawiała się, że kraina luksusu wessie też jej męża.

– I co się stało z ojcem? Wrócił? – sąsiad z przedziału z zainteresowaniem wyciągnął głowę z wnętrza płaszcza, w którym – jak mniemałam – drzemał.

– Nie – odpowiedziałam ostrożnie. – Przekonałam się, że mężczyźni rzadko wracają.

– Zapewniam panią, że kobiety niewiele się pod tym względem od nas różnią.

Spojrzałam na niego uważnie. Musiał być stary i przeżyć niejedno, choć jego twarz nie wyrażała nic poza zwykłym zaciekawieniem.

– To ja pojechałam do ojca.

Milczał.

– Zapewne wygląda to sentymentalnie i głupio, lecz jest inaczej, niż pan myśli. Nie jestem już tą dziewczynką, która w poszukiwaniu ojca udaje się na koniec świata...

Mężczyzna siedział bez ruchu, czekając, aż sama zacznę mówić.

– Jeśli ktoś już był sentymentalny – ciągnęłam – to tylko moja matka, prosząc mnie przed śmiercią, bym zawiozła mu jej prochy. Wyobraża pan sobie?!

– Hmm, doprawdy, niecodzienne życzenie – przyznał, ściągając beret.

– To dla niej szukałam przeszłości, głęboko wierząc, iż odeszła wraz z jej odejściem. Nie powinnam może czekać z tym aż rok. Nie sądzi pan?

– Nie wiem, mnie nikt nie prosił, abym woził jego prochy po świecie.

– Właśnie! – byłam wdzięczna, że mnie rozumie. – To był idiotyczny pomysł. Choć z drugiej strony... – uśmiechnęłam się rozbawiona, przypominając sobie minę ojca i jego obecnej żony, gdy zjawiłam się w ich domu z urną. – Ci ludzie byli tak dobrze wychowani, iż nie potrafili odmówić przyjęcia prezentu. Myślę, że stoi tam dzisiaj, ukryty strachliwie przed gniewem porzuconej żony pośród kolekcji cennych kucharskich książek.

Tak naprawdę sądziłam, że matka chciała pośmiertnie zemścić się na ojcu za to, iż przez jego ucieczkę jej życie nie było takie, jakie być powinno: w otoczeniu dzieci, wnuków i zawsze kochającego męża. Za narzędzie zemsty obrała mnie – zapewne z braku innych, bardziej nadających się ku temu potomków. Nieraz bowiem odgrażała się, że gdyby miała trzech synów, inaczej policzyłaby się z tym łajdakiem.

Mężczyzna przerwał mi i poprosił, abym pomogła mu zdjąć walizkę. Przedwojenne wychowanie sprawiło, że czuł się z tą prośbą nieswojo. Przecież mimo różnicy wieku wciąż był mężczyzną, a ja kobietą. Bez trudu zdjęłabym ją sama, lecz chciałam zostawić go w przekonaniu, iż moja pomoc jest niewielka.

W walizce było niewiele ubrań i kilka książek.

– To dla pani. – Wskazał jedną z nich. – Po przeczytaniu może pani zrozumie, jak bardzo pani matka myliła się, pragnąc chłopca... – Mężczyzna wziął do ręki książkę w taki sposób, jakby próbował ocenić jej ciężar. – Jeśli sobie pani życzy, mogę ją nawet podpisać.

Na okładce widniał niemiecki tytuł *Matka i syn*, a nad nim nazwisko autora: Jerzy Falber.

– Jeździłem dopilnować tłumaczenia i znaleźć asystenta, który pomoże mi się w tym wszystkim połapać, bo szczerze mówiąc, mój szkolny niemiecki na niewiele jest tu przydatny...

– Pan jest tym znanym pisarzem Falberem? – uśmiechnęłam się.

– Co w tym zabawnego?

– Ach, nic... Tylko... ten głos. Przypomina mi pan przedwojennego aktora...

W porę ugryzłam się w język, by nie zdradzić, że przez chwilę podejrzewałam, iż mój współpasażer może być nawet samym świętym Jerzym.

– Czasami – zdradził niedoszły święty – czytuję swoje powieści w radiu. Mówią, że mam radiowy głos.

Podziękowałam za książkę i dedykację.

– Nie dokończyłam swojej opowieści, a dostałam pańską.

– Właściwie w związku z tym coś zaplanowałem – pisarz zawahał się. – Miała pani wrażenie, że rozmawia z przygodnie spotkanym człowiekiem, tymczasem właściwie chciałbym zaproponować pani pracę. To nie fair, prawda?

– Nie wiem... Może trochę.

– A zgodziłaby się pani? – w głosie Falbera zabrzmiała nadzieja. – Początkowo myślałem o sekretarzu mężczyźnie, bo zawsze pracowałem z mężczyznami. Lecz skoro nie ma ponoć nic lepszego niż zmiana przyzwyczajeń, a pani znalazłaby czas...

– Tak – przerwałam mu w połowie zdania, nieoczekiwanie nawet dla siebie samej.

– Zatem przyjmuje pani moją propozycję?

Skinęłam głową.

– Proszę się nie martwić o wynagrodzenie. Nie płacę może zbyt wiele, ale za to gwarantuję solidność. No i potrafię słuchać...

Nie dbałam o pieniądze. Chciałam w spokoju odnaleźć dawno zagubioną drogę do siebie, a nieskomplikowana praca sekretarki Jerzego Falbera mogła mi to umożliwić.

– Kiedy mam przyjść do pracy?

– Jutro. – Pisarz ucieszył się w sposób, który nie wiadomo czemu przywiódł mi na myśl babcię Alinę. – Ale proszę zjawić się po południu – zastrzegł. – Pisuję wieczorami i nocą, bo w moim wieku często cierpi się na bezsenność.

* * *

Babcia Alina już od najmłodszych lat traktowała przedmioty nieożywione tak, jakby były żywymi ludźmi. Przemawiała do nich, zadawała im pytania, głaskała i namawiała do posłuszeństwa. Zofia czasami obawiała się, że córka ma skłonności do szaleństwa lub czarnej magii, ale na szczęście nie miała zbyt wiele czasu, by gruntownie przemyśleć ten temat. Pochłaniał ją bowiem zupełnie inny problem: należało złagodzić nieznośny temperament Stanisławy Mutter.

* * *

Kiedy tylko prababka ocknęła się z poporodowego szoku, patrząc na malutką Stasię, zastanawiała się, skąd w ich rodzinie wzięło się takie ładne dziec-

30

ko? Podobnego nie widzieli najstarsi ludzie we wsi ani nawet w całym powiecie.

Pewnego dnia, kiedy Stasia miała pięć lat, do myśliwskiego pałacyku w anielińskich lasach zjechała wielka księżna wraz z małżonkiem. Polowali rankami, popołudniami zaś paradowali na wielkich rumakach z dostojeństwem właściwym swojemu królewskiemu urodzeniu. Chłopi stawali przy drogach, kłaniając się w pas, tak by wielka księżna Radziwiłłowa mogła ujrzeć ich plecy. Oni zaś widzieli co najwyżej końskie kopyta i skrawki myśliwskich strojów, szytych na zamówienie w nieosiągalnych, bajecznych Paryżach, Wiedniach i Rzymach.

Warto było wówczas wylec na drogę, by skręcając ciało w nienaturalnej pozie, przez moment stać się naocznym świadkiem istnienia innego świata, którego obecność w Anielinie wprawdzie podejrzewano, lecz którego nikt, może poza Jürgenem, przenigdy nie doświadczył.

Kiedy inteligentny obserwator patrzył na małą Stanisławę Mutter, mógł dostrzec, że niechybnie musi ona przynależeć do nich, do pięknych ludzi z lepszego świata. A wielka księżna była inteligentną obserwatorką.

– Och! – zapiszczała na widok Stasi cienkim głosem arystokratki. – Toż to aniołek z włoskich fresków!

Zofia nie bardzo wiedziała, czym są „włoskie freski", lecz świetnie się orientowała, kim jest aniołek.

– To moja córa, wielmożna pani.

– Och – powtórzyła znowu księżna, jakby język

31

wyższych sfer nie znał innych określeń. – *Bella, bellissima!* Jak na imię temu dziecku?

– Stanisława, wielmożna pani!

– Stasia. Sisi! O, tak – Sisi, tak ją będę nazywać.

Księżna wyciągnęła ręce w stronę Stasi, a ta pobiegła wprost w ramiona wystrojonej pani. Ludzie z zaciekawieniem zaczęli podnosić wzrok znad końskich kopyt w kierunku księżnej. Zobaczyli na jej twarzy coś, czego nawet sam wielki małżonek rzadko doświadczał. Bezgraniczną miłość.

– Musi być moja – zwróciła się do męża błagalnym głosem głodnego kota.

– Ależ, pani... – towarzyszący jej mężczyzna zawrócił konia. – Można zaprosić dziecko na wieczór do pałacyku, jeśli, ma się rozumieć, jej opiekunowie...

– Nigdzie Stasi nie puszczę! – dziarsko wkroczyła do akcji Zofia.

Wielka księżna podniosła zdziwiony wzrok na prababkę. Zawsze otrzymywała to, o co poprosiła, i nigdy nie powtarzała dwa razy. Tym razem trafiła jednak na godną siebie przeciwniczkę. Kobietę, która przeżyła lądowanie pierwszego samolotu i wymodliła sobie za męża pruskiego pilota – niełatwo było nastraszyć. Choć nie miała na sobie drogich paryskich strojów ani powszechnie przyjętych atrybutów władzy i choć była niewielka, a jej ręce nosiły ślady zwykłej, chłopskiej pracy – księżna poczuła do niej szacunek.

Sisi – jak w duchu ochrzciła Stasię – należała wbrew boskiej sprawiedliwości do tej wieśniaczki i jeśli chce zobaczyć to piękne dziecko jeszcze raz, musi pertraktować.

Później nastąpiło najdłuższe popołudnie w życiu wielkiej księżnej i mojej prababki. Wielcy państwo obiecywali wspaniałą przyszłość dla Sisi, majątek i tytuł. Pruscy mieli się tylko zgodzić na adopcję dziewczynki. Stasia powinna, zdaniem ludzi z pałacu, powrócić tam, gdzie jej miejsce, do świata piękna i książęcej beztroski, skąd przypadkowo jakiś złośliwy chochlik wrzucił ją do łona wiejskiej kobiety.

– Czy pan jej da to, co my? – zapytał książę Jürgena.

Pradziadek zasępił się. Zawsze miał słabość do dobrych argumentów i dobrych mówców. Słowa przekonywały go szybciej niż uczucia.

– Wykształcenie jest oczywiście najważniejsze, ale... – plątał się Jürgen.

– Jakie znowu: ale, Jurguś? Przecież ona należy do ducha twojej Mutter – wtrąciła się Zofia. – Dziecko zostało przed urodzeniem poświęcone pamięci matki, tak jak poświęca się nienarodzone dziecię Kościołowi. Złamanie ślubu to grzech śmiertelny.

Książęca para skrzyżowała spojrzenia. Prosili o coś tę chłopską parę tak, jakby to oni byli wielmożami. I o ile czuli, że z ojcem doszliby do porozumienia, o tyle rozmowa z Zofią prowadziła donikąd.

Ostatecznie stanęło na tym, że moja cioteczna babcia do ukończenia dwunastego roku życia miała pobierać lekcje tańca i śpiewu ufundowane przez książęcą parę, w zamian odwiedzając i zabawiając swoich dobroczyńców czysto ubrana, umyta i zdrowa. Ten przedziwny targ miał służyć obu stronom. Prababka wzięła kilkaset złotych przeznaczonych na edukację oraz żywienie „cudownego dziecka" i z mieszanymi uczuciami pozwoliła pałacowej służbie kąpać i czesać Stanisławę Mutter.

Dziewczynka rosła wśród zachwytu i komplementów. Dobrą stroną tego układu było na pewno to, że co tydzień ją myto i kąpano, złą – że wyrastała w zgubnym przekonaniu o wyjątkowej mocy swojej urody.

– Być zbyt pięknym to takie samo przekleństwo, jak być wyjątkowo szpetnym – mawiała Zofia.

W końcu Stanisława Mutter z cudownego dziecka zaczęła się przeobrażać w kobietę. Często z brzydkich dzieci wyrastają urodziwi ludzie, natomiast śliczne pacholęta z reguły przeobrażają się w zupełnie przeciętnych dorosłych. Więc wszyscy ci, którzy od urodzenia kibicowali urodzie małej księżniczki, z niecierpliwością oczekiwali, co też dziewczynce przyniesie dojrzałość.

Nie sprawdziły się jednak przepowiednie malkontentów. Twarz Stasi nie pokryła się krostami, loki się nie rozprostowały, figura nie stała się ociężała.

Mało tego – jeżeli w ogóle było to możliwe, Stanisława Mutter stała się jeszcze piękniejsza. Gdziekolwiek się pojawiła, towarzyszył temu szmer podziwu, jaki otacza dziś tylko największe gwiazdy srebrnego ekranu.

– Gdyby tylko Mutter mogła zobaczyć, jakie ma wnuki – wzdychał Jürgen, przeczesując przerzedzone od upływu czasu włosy. – Gdybym mógł je matce pokazać...

Sposobność nadarzyła się wraz z przyjazdem do wsi wędrownego fotografa. Mężczyzna ów nazywał się Antek Szulc i jeździł z miejsca na miejsce, uwieczniając na kliszy jak najwięcej ludzi, by następnie odsprzedać im swoje zdjęcia. Zarobku zaniechał, kiedy tylko ujrzał Stasię. Od tego momentu chciał fotografować tylko ją. Na rzecz nowej muzy porzucił zamożne matrony, nowożeńców, wyfiokowane berbecie i rasowe psy. Kiedy wyjeżdżał, trapiony głodem i niespełnioną miłością, w domu pradziadków zostawił stos zdjęć przedstawiających Stanisławę Mutter we wszystkich możliwych sytuacjach nieprzynoszących młodej pannie ujmy.

Po jego wyjeździe Jürgen oświadczył, że choć raz uroda córki na coś się naprawdę przydała, bo fotograf przyjechał do Anielina jako rzemieślnik, a wyjechał jako artysta.

* * *

– Za nic nie wsiadłabym do tej diabelskiej maszyny! – kategorycznie oznajmiła Zofia, kiedy pewnego dnia Jürgen przyniósł do domu gazetę ze zdjęciami parowozów.

– Ależ, Zosiu, mamy dwudziesty wiek. Słyszałem w mieście, że mają ciągnąć linię kolejową koło naszej wsi. Niedługo w Anielinie przystawać będą pociągi z Warszawy i Berlina.

Pradziadek rozmarzonym wzrokiem ogarnął okolicę.

– Pomyśl tylko, wystarczyłoby dziś wsiąść do wagonu ciągniętego przez parowóz, by pojutrze znaleźć się w Guttstadcie...

– Słyszałam na targu, że pociągi są gorsze nawet od automobilu. I kury się przez to nie niosą.

Nie to jednak trapiło Zofię. Jürgen coraz częściej wspominał o Guttstadcie i Mutter, a od kiedy do wsi wprowadziło się kilka żydowskich rodzin, cieszył się, że ma z kim porozmawiać po niemiecku. A przecież przez te ostatnie lata nawet obcym ludziom udało się zapomnieć o jego pochodzeniu.

Prababka zerknęła w oprawione drewnem lustro. Może jej wymodlony u świętego Jerzego mąż zauważył, że jego żona nie jest już tą samą młodą Zosią, która nie chciała umierać dziewicą. Przybyło jej trochę w biodrach, ale czarne włosy nie były jeszcze przyprószone siwizną. Tylko nieposkromiona, intensywna młodość jej dzieci i porównania z nieziemską urodą Stasi sprawiały, że czasami czuła się staro.

– Nie jestem już najmłodsza...

– Co też opowiadasz?! Jeszcze zabiorę ciebie i dzieci w wielką podróż. Za granicę. Nad Ostsee – nad Bałtyk...

Prababkę wychowano w nieufności do marzeń i pogardzie dla tych, którzy obiecywali prostym ludziom więcej, niż mogli spełnić. Lecz tego dnia po wieczornej modlitwie, tuż przed zaśnięciem, długo myślała o budzącym strach parowozie, który bez najmniejszego wysiłku za pomocą orszaku niewidzialnych koni zaciągnie ją i jej rodzinę nad ogromny, zimny, słony staw, do którego wpływają wszystkie rzeki świata.

Nad ranem przyszło otrzeźwienie z sennych majaków i jedynym marzeniem babki pozostało powstrzymanie największego zagrożenia ludzkości – cywilizacji. Choćby miało się to wiązać z zatopieniem w przykościelnym bagnie wszystkich pociągów świata!

Ostatecznie stanęło na tym, że zamiast rodzinnej wyprawy do Guttstadtu pradziadek zdecydował się wysłać do Mutter pierwszy od chwili swojej sfingowanej śmierci list, a w nim trzy fotografie: Stasi, Stasi z Zosią i Tadeuszkiem oraz Stasi z siostrą Aliną.

* * *

„Dzisiaj zdarzyła mi się najdziwniejsza rzecz pod słońcem" – napisałam w brulionie. Miałam dobre trzy godziny do pierwszego wyjścia do pracy i postanowiłam wypełnić ten czas pisaniem dziennika. Może nawet w normalnych okolicznościach zamiast pisać zajęłabym się dobieraniem odpowiedniego stroju i dopracowywaniem makijażu, lecz sprawa, która przydarzyła mi się tego ranka, była naprawdę nietypowa.

Otrzymałam list. Oczywiście i wcześniej otrzymywałam listy i nie widziałam w tym nic nadzwyczajnego, ale ten był z Los Angeles! Nie muszę chyba wyjaśniać, że nie tylko nie korespondowałam z nikim z Los Angeles, ale wręcz nie znałam nikogo, kto by mieszkał w Kalifornii, ba, w ogóle w Ameryce, i zechciał do mnie napisać list.

Trzymałam jedną drżącą ręką wielką pękatą kopertę, a drugą za pomocą nożyczek próbowałam ją otworzyć, nie uszkadzając jednocześnie zawartości.

Z opakowania wyskoczyła najpierw jakaś broszura w lakierowanej okładce, potem plik spiętych kartek z kancelaryjnym nadrukiem w języku angielskim, a na koniec zaklejona zielona koperta. Podniosłam ją jako pierwszą.

Jakie było moje zdziwienie, gdy odkryłam, co zawiera ta szczelnie zaklejona koperta.

„Kochana" – tak zaczynał się ów list. Zbaraniałam.

Dalej pismo robiło się pochyłe, miejscami nieczytelne. W pierwszym odruchu przyszło mi do głowy, że przypadkiem stałam się ofiarą jakiegoś amerykańskiego szaleńca, który postanowił zabawić się kosztem Bogu ducha winnej Polki.

Ciekawość zwyciężyła jednak panikę i ponownie wzięłam list do ręki.

Kochana!

Ja tęsknić za Cię all my life. To nieszczęsna prawda, która robić, że całe moje długie dziewięćdziesięcioletnie życie i moje trzy meridże okazały się rażącą pomyłką.

Mój amerykański adorator nie jest młodzikiem – chociaż to sobie wyjaśniliśmy na wstępie. Uczciwość też jest w cenie. Z dorobku w postaci trzech małżeństw wnioskuję bogate doświadczenie.

Nie próżnowałem i, o najpiękniejsza, dorobiłem się majątku na branży filmowej, zwanej tu: cinema.

Proszę, posiada również dorobek innego rodzaju! Powoli zaczęłam sobie uświadamiać, że mam do czynienia z ofertą matrymonialną. Dziewięćdziesięcioletni staruszek szuka piastunki z Europy Wschodniej, a nie od dziś wiadomo, że ślub kalkuluje się lepiej niż stała pensja z podatkami.

Pokręciłam głową z uznaniem dla inteligencji staruszka i już miałam zabrać się do dalszej lektury, gdy spomiędzy sklejonych kart listu wysunął się rożek czegoś sztywnego. Pociągnęłam mocniej.

I jeszcze raz. Mocno, ale uważnie.

– Mam!

W dłoni trzymałam zdjęcie. Choć było bardzo stare i zżółknięte, można było rozpoznać twarz młodej kobiety w białej koszuli i długiej, jasnej spódnicy. Kobieta była bardzo ładna. To było widać mimo kiepskiej jakości archaicznej fotografii.

– Jezu, to przecież ciocia Stasia!!! – wykrzyknęłam zdumiona.

Istotnie, zdjęcie przedstawiało młodziutką, może szesnastoletnią Stanisławę Mutter z pręgowanym podwórkowym kotem na ręku. Jak to możliwe, aby ktoś jej zrobił takie zdjęcie?

Wówczas właśnie przypomniałam sobie o fotografie, który miał pecha stracić głowę dla mojej ciotecznej babki.

Dalej w liście stary wielbiciel pisał już tylko o tym, jakie ogromne szanse dała mu Ameryka i jak poświęcił się karierze zawodowej.

Ja robił business cały day and noc. Stawiał kina i dystrybuował movies z Hollywood. No i myślał głównie o Tobie. Tu, w America, dużo pięknych kobiet, aktorek, lecz takiej jak Ty ja nie widział, choć widział niejedno.

Im dłużej czytałam te wyznania, tym bardziej wątpiłam, że skierowane są do mnie. Może Amerykanin, który jakimś cudem zdobył zdjęcie Stanisławy Mutter, pomyślał, że jestem do niej podobna? Wszystko miało się wyjaśnić w następnych zdaniach. Wielbiciel pisał:

Gdyby nie wojna, wróciłbym szybko do kraju i do Ciebie. Jednak kiedy ludzie wracali ze stary land i opowiadali, jak u was niedobrze, ja nie miał dość kurażu na taki krok. Zostało tylko parę Twoich zdjęć, które już zawsze będę nosił przy moim serce. (Tu było parę skreśleń wskazujących, iż nadawca miał spore wątpliwości co do pisowni i odmiany słowa „serce").

Business szedł very well. Głównie dzięki dalekim krewnym, zwłaszcza dzięki niejakiemu ciotecznemu stryjkowi Golldwynowi i wujowi Mayerowi, którzy w tym interesie akurat mieli dużo do powiedzenia. Obejrzeli moje zdjęcia, które ja Tobie zrobił we wsi, i bardzo im się podobały. Po-

wiedzieli, że mam talent, a w America talent to taki sam kapitał jak dollars! A oni w temacie kapitał nigdy się nie mylili.

I tak to ja, Antek, którego poznałaś, został Andrew (co się czyta endrju). Potem wszystko poszło zwyczajnie. Ja miał nie tylko nowe imię, ale i nowe życie, a w nim żony (różne – w tym jedna z Europy, jedna z America, a jedna – co pewnie uznasz za dość egzotyczne – była nawet czarna jak ta smoła na ojcowym dachu!). I nawet ta czarna była bardzo ładna. Ale moje serce wciąż chorowało z tęsknoty za Stasią.

Teraz piszę po tylu latach, bo wierzę, że jeśli jeszcze żyjesz, zechcesz się ze mną spotkać. Ja jestem bogaty i choć już niezdrowy, wyglądam przystojnie (dwa liftingi). Chętnie zaproszę Cię do Los Angeles lub pojadę do Polski, bo po ostatnich przemianach wasz kraj podobno stał się spokojniejszy. Liczyłbym więc, że ani mnie, ani mojej fortuna w dollars nic się u was nie stanie.

Pozdrawiam Cię, Stasieńko, jak najserdeczniej
Śniący o Tobie przez tyle nocy

Twój fotograf – Andrew

Wytrzeszczając ze zdumienia oczy, przeglądałam pozostałe dokumenty dołączone do przesyłki. Jak słusznie mniemałam, wyjaśniły mi całą resztę.

Adresowane były w firmie prawniczej „Loyd and Sons". Wynikało z nich, że niejaki pan Andrew Szulc, obywatel amerykański polskiego pochodzenia, zlecił tej szacownej instytucji odszukanie swojej pierwszej miłości Stanisławy Mutter Pruskiej ze wsi Anielin. Ponieważ z przyczyn od firmy niezależnych Stanisławy nie odnaleziono (co akurat niespecjalnie mnie zdziwiło, zważywszy na to, że ciocia Stasia opuściła ten padół dobre kilkadziesiąt lat temu), uznano, iż przesyłkę można wręczyć mnie, jej wnuczce i jedynej krewnej (też coś – wnuczce!!!) Ja zaś mam dalej męczyć się z przekazaniem listu Stanisławie Mutter, a firmę prawniczą „Loyd and Sons" łaskawie poinformować o reakcji starszej pani na wystosowane przez Andrew zaproszenie do USA.

Z dalszej części maszynopisu zorientowałam się, że będą mi bardzo wdzięczni za pośpiech, bo staruszek może nie dożyć dnia przelania na konto szanowanej firmy prawniczej stosownej należności za wykonanie zadania. Pozdrawiali mnie serdecznie i polecali zapoznanie się na przyszłość z dołączoną do przesyłki broszurką oferującą ich „znakomite usługi".

– Ufff!!! – westchnęłam, opadając na fotel. – A to dopiero!

* * *

Stanisława Mutter z profilu przypominała tahitańskie modelki Gaugaina. Ciemne pofalowane włosy, gdzieniegdzie ze złocistymi refleksami, spadały miękką kaskadą po jej delikatnej szyi i smukłych ramionach.

Patrzyła tęsknie w stronę pałacu, w którym jeszcze parę lat temu beztrosko się bawiła. Syknęła z wściekłości.

Oczywiście, wyrzucono ją przez wielką księżnę. A przecież kochała Sisi jak własne dziecko... Mówiła jej to milion razy, rozczesując gęste włosy dziewczynki, bawiąc się z nią i strojąc w pałacowe stroje.

Tylko że Stasia nie była już dzieckiem. Wielka księżna nie chciała na dworze pięknej, dorosłej kobiety, na którą stary książę gapił się pożądliwie przez całą niedzielę. I te obleśne spojrzenia dworzan! Zrozumiała, że musi odprawić dziewczynę pod byle pretekstem, nim dojdzie pod jej dachem do dworskiej rewolucji.

Księżna chciała wyjawić Stasi, że nie znosi podejmowania takich decyzji i pragnie pozostać w jej pamięci jako dobrodziejka i filantropka, ale ostatecznie nic nie powiedziała. Czuła, że ta dziewczyna ma i tak zbyt wiele, by ona – arystokratka krwi – musiała się przed nią korzyć. A nerwy, skołatane trudną decyzją, można zaleczyć tam, gdzie zwykle – w Portofino.

Tak też niezwłocznie uczyniła.

Wielka księżna nigdy już nie powróciła do swego myśliwskiego pałacyku, zakazując równocześnie bywania tu mężowi.

Teraz pałacyk stał się budynkiem rządowym. Przyjeżdżał tu sporadycznie czarną limuzyną marszałek Piłsudski, otoczony szczelnym kordonem wojska. Bywał krótko i rzadko wychodził poza ogrodzony wysokim parkanem teren. Mówiło się, że rezydencja ta służy mu jedynie do przyjmowania ważnych gości, którzy chcą pozostać anonimowi. Później w pałacyku pojawiał się rozmiłowany w polowaniach prezydent Mościcki, ale i tak przez większość roku budynek stał zupełnie pusty.

Wzrok Stanisławy wędrował ze zwieńczonego kolumienkami dachu na mury i całkiem wyludniony dziedziniec.

– Mówią, że będzie wojna. – Zza pleców dziewczyny dotarł głos brata.

– Tadek?

– Co, ukrywasz się przed adoratorami? Jeszcze trochę i wszyscy zaciągną się do armii, a wtedy nie zostanie tu już nikt.

– Przestań! – Stasię przeszły ciarki po plecach. – Nie lubię, jak tak mówisz!

– Czemu? Na wojnie mogę zostać pilotem. Takim samym, jak kiedyś tata...

– Tata nie wierzy w wojnę. Mówi, że Niemcy to rozsądny naród, nastawiony na gospodarkę i logicznie myślący.

Tadek wydął usta.

– Co wy, kobiety, możecie wiedzieć o tych sprawach? Skoro Niemcy są tacy super, to dlaczego babka nie odpisała ojcu na list?

– Mama mówi, że ta Mutter musi być dziwną kobietą.

– Najwidoczniej – chłopiec ciężko westchnął.

Wszystkim żal było Jürgena. W ciągu kilkunastu lat spędzonych w Anielinie zrobił się z niego „swój chłop", jak go często określano. Miał dobre chęci i sporo wiedzy na niemal każdy temat. Pomagał ludziom w polu i zmeliorował bagienne łąki sąsiadów. Współczuto mu jednak z powodu matki, która według opowiadań Zofii nie ma serca do wnuków. A według anielińskich przekonań kobieta, która nie kocha swojej rodziny, nie jest godna miana matki i babki.

Jürgen jednak wierzył, że lada dzień umyślny dostarczy mu długo oczekiwaną przesyłkę od matki. Kto wie, może w jego anielińskie progi zawita nawet we własnej osobie Mutter?

Zofia, aby odciągnąć myśli męża od pruskiej teściowej, postanowiła zająć go czymś innym.

– Powinniśmy pomyśleć o wydaniu za mąż naszej Stasi – oświadczyła któregoś dnia. – Dziewczyna ma przeszło siedemnaście lat i złe skłonności, a to nie wróży dobrze jej małżeństwu.

– Jest po prostu zalotna. U dziewcząt to normalne – odparł Jürgen.

– Nawet księdza w naszej parafii musiano zmienić po tym, jak Stasia chodziła się do niego spowiadać. Twierdził wprawdzie, że zakochał się w jej pobożności, ale oboje dobrze wiemy, że bardzo trudno zakochać się w pobożności Staśki.

Pradziadek podrapał się po karku.

– Był za młody. Ten, którego nam teraz przysłano, to co innego, stary, stateczny...

– ...I ślepy! – dokończyła z satysfakcją Zofia.

Może rzeczywiście nie należało czekać z zamążpójściem Stasi? Jürgen zawahał się, czy nie przyznać żonie racji.

– Zapytam ją dzisiaj przy obiedzie, co sądzi o naszym pomyśle – przyrzekł.

* * *

Odwołałam wszystkie popołudniowe spotkania,
żeby spotkać się z babcią Aliną. Falber uznał, że
sprawa listu z Ameryki warta jest natychmiastowe-
go wyjaśnienia, i polecił mi nie przychodzić do pracy. Szczerze mówiąc, podejrzewałam, że najchętniej
sam wybrałby się na spotkanie z moją babką, lecz
przedwojenne wychowanie nie pozwoliło mu o tym
wspomnieć.

Nie do wiary, że to wszystko spada na moją głowę przez jeden list, który w dodatku jest zupełnym
nieporozumieniem!

Wbrew wszelkim oczekiwaniom reakcja babci na
tajemniczą przesyłkę była dość nietypowa, bo choć
nie znała angielskiego i nie mogła zrozumieć licz-
nych obcojęzycznych wtrętów Andrew – czytając,
zanosiła się od śmiechu. Kiedy jednak ochłonęła,
oznajmiła:

– Powinnaś odpowiedzieć temu człowiekowi.
Jest dość zabawny i choć jego maniery są tak jakoś,
po amerykańsku, zdeformowane, wszystko wska-
zuje na to, że przez te długie lata był szczerze do naszej Stasi przywiązany.

– Więc?

– Więc należałoby mu odpisać i wyjaśnić, jak się
sprawy mają.

Nim zdążyłam cokolwiek odpowiedzieć, babcia
znów ocierała łzy ze śmiechu.

– Dwa liftingi! Gdybym sześćdziesiąt lat temu
mogła się spodziewać, jaki oryginalny człowiek wy-

rośnie z tamtego Antka Szulca, na pewno przyjrzałabym mu się bliżej.

Ponieważ babcia Alina tryskała humorem, postanowiłam, że nic tu po mnie i najlepiej zrobię, jeśli jak najszybciej załatwię tę całą niezręczną sprawę romansu ciotecznej babki.

Niestety, pomyślne załatwianie spraw nie było mi dzisiaj pisane. Mój stary garbus złośliwie utknął na leśnej drodze, którą postanowiłam skrócić sobie dojazd do „gierkówki" – drogi szybkiego ruchu nazwanej tak na cześć jednego z przywódców narodu.

– Jasna cholera! – zaklęłam.

Zmierzchało, a trudno było się spodziewać, że w sezonie niegrzybowym ktokolwiek będzie przejeżdżał drogą wśród sosen i jałowców. Pozostało mi jedynie porzucić starego grata i pieszo powrócić do Anielina.

Wyjęłam z samochodu torbę z listem Antka Szulca do Stanisławy i ruszyłam przed siebie. Miałam przed sobą ośmiokilometrowy marsz przez ciemny las, a jedynym domem po drodze był myśliwski pałacyk przerobiony przed laty na rezydencję rządową. Teraz na pewno nikt tam nie mieszkał.

– Spróbuję – podjęłam decyzję, że zajrzę do pałacyku.

Miałam nadzieję, że spotkam tam stróża i znajdę działający telefon.

Drzewa wokół myśliwskiego pałacyku od czasu mojego dzieciństwa urosły tak bardzo, że z trudem

47

poznawałam to miejsce. Widać było, że o budynek ten od dawna nikt nie dba. Pomyślałam, że może być teraz zupełnie pusty, i aż ciarki przeszły mi po plecach. Ponure, opuszczone gmaszysko w ciemnym lesie. Jeszcze tego mi brakowało! Postanowiłam jednak zaryzykować.

Wrota wejściowe skrzypnęły hałaśliwie, ale nie były zamknięte.

– Halo! Jest tu ktoś? – zawołałam.

Cieszyłam się, że mogę słyszeć dźwięk własnego głosu.

– Halo! Ha-lo!!! – powtórzyłam i poczułam, że słysząc samą siebie, boję się jednak zdecydowanie mniej.

– Czego?! – warknęło coś z rogu nieoświetlonego hallu. – Kto się tak drze, do jasnej chole...

– Ja... – wyszeptałam, truchlejąc ze strachu. – Julia Bałucka z Anielina.

– Jaka Julia? Nie znam żadnej Julii!

– Szukam te... telefonu...

– I aż tu pani przylazła?! – zdziwił się. – Trzeba było iść w Anielinie na pocztę! – Z cienia powoli wyłoniła się męska sylwetka.

Stróż, którym niewątpliwie był ten osobnik, miał około sześćdziesiątki i leciutko zalatywał bimbrem. Nieco odetchnęłam. W razie ewentualnego zagrożenia mogłam mieć nad nim pewną fizyczną przewagę.

Przedstawiłam się wzorem wiejskich dzieci, pamiętając, że aby być rozpoznaną, należy podać nazwisko rodowe matki i babki.

– A, Pruszczanka! – Stróż ucieszył się, że tak szybko skojarzył. – Mam swoje lata, ale wszystko pamiętam. Panina mamusia wyprowadziła się do miasta, a ciocia z telewizorem rozmawia...

– Nie ciocia, tylko prababcia – poprawiłam, domyślając się, że chodzi zapewne o słabość babci Zofii do telewizyjnych prezenterów.

Przyszła przecież na świat jeszcze w ubiegłym wieku i nie należało się dziwić, iż pewne osiągnięcia cywilizacyjne traktuje przesadnie serio.

– No tak! – potwierdził. – A pani po co tu przyjechała? Przecież ani to sezon, ani niedziela.

Nie mogłam mu powiedzieć o liście hollywoodzkiego Antka do Stanisławy Mutter, więc zwierzyłam się jedynie z kłopotów z garbusem.

Stróż zaprosił mnie do swojej izby. Miał w niej zepsuty telewizor i dającą niezdrowe, żółte światło lampkę sodową. W kącie pod kocem stała – co wywnioskowałam po zapachu, jaki unosił się w pomieszczeniu – aparatura do pędzenia bimbru.

– Napije się pani czegoś?

Chętnie bym się czegoś napiła, lecz perspektywa poczęstunku w postaci samogonu sprawiła, że zdecydowałam się bohatersko znosić pragnienie.

– Nie, dziękuję.

Stróż czegoś sobie nalał do metalowego kubka i pokazując mi miejsce obok siebie, bez skrępowania rozłożył się na tapczanie.

– Ja jestem Jurek Mróz ze Stodół. Wie pani?

Musiałam przez moment pomyśleć. Do głowy przychodziło mi tylko jedno skojarzenie.

– Słyszałam o Władysławie Mrozie ze Stodół, ale nie sądzę...

– Dobrze pani słyszała – przerwał, nim dokończyłam. – To mój brat.

O, Boże! – zdrętwiałam.

Władysław Mróz to ktoś, kogo znała cała wieś. I to z bardzo oryginalnej strony. Kiedy byłam małą dziewczynką, umarła mu ukochana żona. Długo zwlekał z jej pogrzebem, aż zaczęły krążyć po wsi dziwne wieści. Mówiono o nim, że „wkładał swój bochen do zimnego pieca". Kiedy wreszcie pojęłam, o co w tym metaforycznym stwierdzeniu chodzi – przez dwa lata omijałam Stodoły szerokim łukiem.

A jeśli jego brat odziedziczył po nim osobliwe upodobania? Ciarki przeszły mi od szyi po krzyż. Wprawdzie po pogrzebie żony plotki dotyczące Władysława Mroza ze Stodół ucichły, ale w mojej dziecięcej wyobraźni na zawsze pozostał lokalnym Frankensteinem.

– Muszę natychmiast zadzwonić! – W zawrotnym tempie zerwałam się z tapczanika, pozostawiając krewniaka niesławnego Mroza w osłupieniu.

– No, dobrze, dobrze... Myślałem tylko, że pogadamy, napijemy się, tak rzadko mam tu gości...

Przez moment zrobiło mi się nawet żal stróża, ale jak najszybciej chciałam się znaleźć jak najdalej stąd. Obiecawszy rychłą wizytę, wręczyłam mu dwudziestozłotowy banknot.

To poprawiło humor dozorcy na tyle, że bez najmniejszych skrupułów mogłam szybciutko zapomnieć o obietnicy.

* * *

Kiedy z powrotem znalazłam się w starym domu zamieszkiwanym przez babcię Alinę, musiałam wysłuchać taktownych rad na temat mojej niefrasobliwości. Wynikało z nich jasno, iż rozsądna kobieta w pewnym wieku po prostu *wie*, że życie w pojedynkę to jak jazda bez trzymanki. Dostarcza wprawdzie adrenaliny, lecz zawsze znajdzie się ktoś, kto na twój widok puknie się znacząco w głowę.

* * *

Stanisława Mutter najwidoczniej nie przepadała za jazdą bez trzymanki. Mało tego, można było dojść do wniosku, że lubi się trzymać wielu pojazdów na raz, co w rzeczywistości jest nie mniej ryzykowne niż pierwsza z wymienionych akrobacji.

W tamtym czasie miała przynajmniej pięciu poważnych adoratorów. Trzej z nich to byli zwykli wiejscy chłopcy, których nie wyróżniało nic poza desperackim uwielbieniem Stasi. Jürgen ich nie znosił. Wydzierali się wieczorami wniebogłosy pod ich domem, udając śpiewających oblubieńców z włoskich romansów (o których Stasia musiała usłyszeć w pałacu, co powtórzyła chłopakom). Byli to rośli chłopcy o wielkich dłoniach i włosach gęstych jak strzecha. Z takim samym zapałem pracowali, śpiewali i kochali Stanisławę Mutter.

51

Kolejnym narzeczonym był czerwieniący się urzędnik z magistratu. Oprócz w miarę schludnego wyglądu jego największym atutem była stała posada. Tomasz Kolec, bo tak się ów wielbiciel nazywał, zazwyczaj podążał kilka kroków z tyłu za Stasią, a ilekroć ta spojrzała w jego stronę, pąsowiał aż po cebulki rudych włosów. Nikt nie wątpił, że jest to oznaka wielkiej, choć skrywanej namiętności.

Piąty był najbogatszym wdowcem w okolicy, właścicielem młyna i gorzelni. Chadzał w wykrochmalonej koszuli i kapeluszu z Warszawy. Jak na poważanego obywatela przystało, nigdy nie śpiewał pod niczyim oknem ani nie podglądał dziewcząt podczas kąpieli w rzece. Względy rodziny Pruskich próbował pozyskać drobnymi podarkami, nadmieniając przy tym, że jest na tyle bogaty, iż żeniąc się ze Stanisławą, nie musi wcale liczyć na jej skromny posag.

Bogaty kawaler podobał się Zofii, lecz ostateczną decyzję pozostawiała córce.

– Skoro mogę mieć każdego, nie muszę się spieszyć – odpowiadała Stasia, którą rozmowa o mężczyznach zawsze wprawiała w dobry nastrój. – A młynarza wielkodusznie pozostawię Alinie. Albo lepiej urzędnika, bo jest taki zabawny...

Tak samo kończyła rozmowę o wyjściu za mąż za wiejskiego chłopaka. Wierzyła, iż dane jej będzie poślubić kogoś wielkiego, i gotowa była cierpliwie na jego przybycie poczekać.

* * *

Mojsze Kanzel, najbogatszy kupiec w miasteczku, przez dwadzieścia lat widział w swojej żonie istotę słabą, niezdolną do żadnych odpowiedzialnych zadań. Wychowali dwie córki, wykształcili je w polskich szkołach i nawet bez ostatniego pomysłu Rebeki mogli uchodzić w Anielinie za całkiem postępowych Żydów. Dziewczynki Kanzlów od małego bawiły się z dziećmi Pruskich, a Jürgen pożyczał od kupca prasę i periodyki z Niemiec.

Te ostatnie coraz częściej przynosiły wieści niepomyślne dla ludzi wyznania mojżeszowego, lecz Mojsze Kanzel nie zwykł przejmować się byle czym. W tym miniaturowym, tętniącym życiem miasteczku, gdzie jidysz używało się prawie równie często jak mowy polskiej, żyło się beztrosko. A tamtego lata odnosiło się wrażenie, jak gdyby jego ziomkowie chcieli bawić się w dwójnasób.

To, co go dziwiło, to niespotykana dotąd inwencja Rebeki.

– Chcesz, żebyśmy otworzyli pensjonat? Tu, w Anielinie? Kto tu przyjedzie, kobieto?! Toż to nie Sopot ani Karlovy Vary.

– Przecież mój stryj Schliman od dziesięciu lat wysyła w butelkach anielińską wodę do Rosji. I zbił na tym fortunę – odpowiadała trzeźwo Rebeka. – Skoro rosyjscy Żydzi chcą pić tutejszą wodę, to dlaczego by nie mieli przyjechać po nią do źródła? A pokoje zawsze moglibyśmy urządzić w pustym domu stryja.

Musiał przyznać, że żona na wszystko miała gotową odpowiedź.

Mojsze Kanzel wahał się, a raczej udawał tylko, że się waha, by nie pokazywać Rebece, jak mu zaimponowała. I tak zawsze gotów był zrobić wszystko, o co go tylko poprosiła, więc nie widział powodu, aby czynić wyjątek dla głupiego pensjonatu.

Rebeka pochodziła z bogatej rodziny łódzkich przemysłowców, więc dzięki ustalonej w towarzystwie pozycji bez trudu udało jej się zaprosić „odpowiednich" gości. Ci zaś, wdzięczni, że w Anielinie nie prowadzi się rozmów o wojnie, o Monachium, o wysiedlaniu Żydów i o tysiącu innych przykrych rzeczy, które choć wciąż odległe, skutecznie psują nastrój – polecali pensjonat Kanzlów dalej w świat.

W kilka tygodni później do Anielina zajechały dwa samochody. Pierwszy, elegancki, wiózł parę wytwornych ludzi: kobietę w atłasowym kapeluszu na głowie i jej dorosłego syna. Drugi, ciężarowy, przykryty plandeką, przewoził coś nadzwyczaj cennego. Przynajmniej tak można było się domyślać, sądząc po przejęciu, z jakim państwo nakazywali szoferom uwagę przy rozładunku.

– Lepiej już idźcie – zaproponowała Estera córkom Jürgena, z którymi obierały jabłka. – Mama ostrzegała, iż to nie są zwyczajni goście i że należałoby się specjalnie ubrać.

Na Stanisławie Mutter zakazy nie robiły wrażenia.

– Daj popatrzeć, Estera. Chyba nic się nie stanie twoim gościom, kiedy ich sobie obejrzymy. Zresztą

54

i tak przyjeżdżają do was same nieciekawe stare baby, które nawet w lecie chodzą w tych swoich perukach i lisach. Cały Anielin się z nich śmieje – zachichotała Stasia.

– Daj spokój! – uciszyła siostrę Alina. – Ojciec by się zdenerwował, gdyby się dowiedział, jak się wyrażasz o gościach państwa Kanzlów.

– Nie śmiałabyś się, gdybyś wiedziała, że tym razem przyjechał do Anielina wybitnej sławy młody pianista Dawid Haman z matką.

– Ładny? – zainteresowała się Stasia.

– No – potwierdziła Estera. – Nawet bardzo. Dziewczęta w Berlinie mdlały na jego koncertach.

– Naprawdę mdlały? – Alina szeroko otworzyła oczy ze zdumienia.

Podobne historie zaliczała do bardzo romantycznych i niezmiennie robiły na niej ogromne wrażenie.

– Pewnie, że tak! Mama mówi, żebyśmy z Sarą zawsze ładnie wyglądały przy Dawidzie, to może wpadniemy mu w oko. Wiecie – mrugnęła porozumiewawczo do koleżanek – chłopiec w pewnym wieku zaczyna rozglądać się za odpowiednią dla siebie miłą żydowską dziewczyną...

– Ciekawe – Stasia, usiłując sprowokować Esterę, wydęła usta. – Mam tylu narzeczonych i ani jednego Żyda... Jak to jest być z żydowskim chłopcem, Esterko?

Estera rzuciła w nią nie do końca obranym jabłkiem.

– Możesz się popisywać przed wiejskimi chłopakami. Dawid nawet na ciebie nie spojrzy! Żaden szanujący się Żyd nie ożeni się z gojką. To zakaza-ne! – wyjaśniła z dumą

Słowa córki Mojsze Kanzla mocno zapadły w ser-ce Stanisławy. Nikt jeszcze nie próbował jej niczego zakazywać, a już na pewno nikt nie ośmieliłby się zabronić komuś zachwycania się jej urodą.

– Głupia Estera! – warknęła, kiedy tylko opuściły progi Kanzlów. – Słyszałaś, powiedziała, że jestem gojką! Gojką! Ta Żydówka powiedziała to tak, jakby chciała mnie dotknąć.

– Bo dla nich jesteśmy gojkami, to proste – odpo-wiedziała Alina, pochłonięta bardziej rozmyślaniem o cudownym, wielkim jak Zofina szafa instrumen-cie, który widziała na podwórku, niż o urażonej du-mie siostry.

– Przecież powinna powiedzieć: chrześcijanką, nie gojką. To zaszczyt być chrześcijaninem. Gdyby tak nie było, to czy w ostatnich latach tylu Żydów chciałoby się przechrzcić? Przecież nie robiliby tego, gdyby nie zazdrościli nam wszystkiego: Maryi i Pana Jezusa.

– Nie wiem... Ojciec mówi, iż robią to ze strachu i że niedobrze w dzisiejszych czasach być Żydem.

– Otóż to! – odparowała z satysfakcją Stanisława Mutter. – Jeszcze się Kanzlówna przekona, za kim się będzie pan muzyk uganiał!

Alina ciężko westchnęła. Powinna przyznać sio-strze rację, bo w tych sprawach Stasia bardzo rzad-ko się myliła. Nie zrobiła jednak tego. Młynarz, urzędnik z magistratu, miejscowi rolnicy – wszyscy oni mogli podziwiać Stasię, lecz nie ten tajemniczy artysta z Europy. Ktoś tak nadzwyczajny powinien szukać w kobiecie uczuć wyższych, bratniej duszy, poezji.

Zerknęła w stronę siostry. Stasia podciągnęła wysoko spódnicę, by przeskoczyć kałużę. W tej samej chwili od strony kościoła usłyszały gwizd podziwu. To kościelny ze swoim synem w ten sposób okazywali podziw dla urody Stasinych nóg.

Chyba się mylę – pomyślała Alina. – Moja siostra otrzyma to, czego zechce. Biedny Dawid...

Myśli o młodym pianiście nie opuszczały też Stanisławy. Wczoraj zmusiła się, by iść z ojcem na karty do Kanzlów, i choć nienawidziła męskich rozmów o wojsku i polityce, wytrzymała całe trzy godziny.

Dawid, mimo że zjawił się tylko na kwadrans, zapytał o jej imię, a pani Hamanowa zwróciła uwagę na jej urodę – wyliczała jednym tchem dobre strony wczorajszego wieczoru.

– A ten sławny pianista zagrał coś? – dopytywała się Alina.

– Nie. Odpoczywał. Z tego, co mówiła jego matka, przeszedł poważną chorobę płuc i pobyt tutaj traktują jako rehabilitację.

– Aha!

– Wiesz, co jeszcze powiedziała? Że normalnie w takich przypadkach szanujący się ludzie wyjeżdżają w Alpy i tylko „nienormalność naszych czasów" mogła ich przygnać na wypoczynek do takiego Anielina.

– Tak powiedziała?

– O, tak – rozmarzyła się Stasia. – To muszą być światowi ludzie! Ta Hamanowa nie nosi nawet peruki jak inne Żydówki. Zachowuje się raczej jak Francuzka albo inna wielka dama...

Nikogo z otoczenia Stasi nie dziwiło, że bardzo piękna osoba podświadomie czuje przynależność do lepszego świata. Dla pięknej kobiety przepustką do wyższych sfer było odpowiednie małżeństwo.

Również Stanisława Mutter, w chwili gdy zauważyła, że myśli o Dawidzie równie często, a może nawet częściej niż o sukniach pani Hamanowej, zrozumiała, iż na jej drodze stanęło przeznaczenie.

Tymczasem młody pianista całymi dniami czytał książki, a wieczorami rozmawiał o poezji z córkami Kanzlów i Aliną. Alina opowiadała mu o obyczajach leśnych zwierząt i o rusałkach zamieszkujących bagna, a Dawid nie tylko nie okazywał zniecierpliwienia, ale śmiał się i prosił o więcej takich historii.

Stasia obserwowała rodzącą się między nimi przyjaźń ze zniecierpliwieniem.

Sama nie potrafiła z nim rozmawiać dłużej niż pięć minut. Wymieniali nic nieznaczące uwagi o pogodzie, a że od dwóch tygodni był taki sam, nieznośny upał, i ten temat bardzo szybko się wyczerpał.

Nigdy, przenigdy Stasi nie przydarzyła się podobna sytuacja. Martwiło ją to tak bardzo, iż przestała się spotykać z najwytrwalszymi i najbardziej

zabawnymi kawalerami z okolicy. Myślała tylko
o Dawidzie.

– Czyżbym straciła moc? – szeptała do lustra,
wpatrując się w odbicie pięknej twarzy. – Boże,
spraw, by był mój! Spraw! Spraw! Spraw!

To jest bardzo proste – powtarzała sobie, lecz
wciąż nie wydarzało się nic, co mogłoby rzucić uro-
dziwego chłopaka w jej ramiona.

Tego wieczoru młodsza siostra wróciła do domu
później od niej. Zaróżowiona ze szczęścia Alina od
samych drzwi porwała matkę w taneczne objęcia.

– Dziś zagrał po raz pierwszy od tygodni. Wielki
Dawid Haman – dla mnie! Uwierzysz?! Powiedział,
iż czuje się zdrowy i że uleczyły go chyba moje opowieści.

Stasia mocno chwyciła poręcz krzesełka, aż jej po-
siniały kostki palców.

– Nie zapominaj, że to ja jestem starsza i powinnam pierwsza wyjść za mąż!

– Chyba nie myślisz, Stasiu, że ja i on...? – Alina
spąsowiała na samą myśl o tym, co siostra tylko za-
sugerowała. Nie było jej to jednak niemiłe. – Przecież dobrze wiesz, Stasieńko, że możesz mieć każdego. Ja zaś i pan Dawid tylko rozmawiamy...

– Wiem.

Tej nocy piękna córka Zofii nie zmrużyła oka. Teraz albo nigdy. Ważyły się losy nie tylko jej reputacji,
ale także sławy, miłości i honoru.

* * *

Dawid Haman każdego ranka chodził nad cichy staw w lesie za wsią. Jak każdy człowiek nawykły do dyscypliny, a muzycy niewątpliwie do nich należą – cenił swoje małe, codzienne rytuały.

Zdjął marynarkę i rozpiął koszulę. Pomyślał, że gdyby nie nachalny impresariat matki, mógłby pełniej korzystać z życia. Może nawet zacząłby chodzić do lokalnej gospody? Roześmiał się na tę myśl. Mógłby tam stworzyć walc szynkarza lub napisać partyturę do jakiejś wiejskiej operetki. Ach, ta moda na wieś miała więcej uroku, niż mógłby przypuszczać.

Coś chlupnęło w stawie.

Dawid podniósł wzrok. Nie przepadał za rybami, wydawały mu się oślizgłe i niebezpiecznie ruchliwe. Tym razem nie miał jednak do czynienia z rybą. Do wody wchodziła najprawdziwsza kobieta.

W pierwszym odruchu dobrego wychowania chciał szybko wstać i odejść, lecz nagłym poruszeniem zapewne śmiertelnie wystraszyłby niespodziewanego gościa. Dziewczyna go nie widziała, więc czuł się bezpiecznie. Choć nie licowało to z godnością dżentelmena, Dawid postanowił jeszcze raz zerknąć w jej stronę.

Znał ją!

Spojrzał ponownie. Tak, to była siostra Aliny. Przez moment poczuł zawód, że to nie sama Alina przyszła dziś się wykąpać. Bardzo polubił tę niezwykłą, wrażliwą dziewczynę. Mówiła, że są bratnimi duszami, i jakkolwiek brzmiało to dość infantylnie, przyjmował jej słowa za pewnik.

Jej siostra była inna. Bardzo ładna. Wyzywająco ładna i... raczej nie w jego typie. Stasia przypominała wyniosłą królową, a Alina tajemniczą wróżkę. A on od dziecka zawsze wolał wróżki.

Dawid zdecydował, że lepiej będzie, gdy odejdzie i zostawi tutejszą królową samą. Wstał. Teraz widział ją nawet lepiej, nie mogąc być widzianym.

Stasia miała na sobie białą płócienną koszulę sięgającą kolan. Kiedy szła, brodząc w coraz głębszej wodzie – koszula nasiąkała wodą i przyklejała się do ciała. W końcu zanurzyła się cała, by po chwili wyskoczyć wysoko do góry. Z jej długich włosów rozprysła się w słońcu fontanna tysiąca kropel.

Dawid wstrzymał na chwilę oddech, po czym przymknął powieki i powoli, nie zatrzymując się ani na chwilę, ruszył w stronę wsi.

Fatalne skutki przyzwyczajenia mają to do siebie, że powtarzamy czynności nawet wówczas, kiedy nie mamy na nie ochoty. Następnego dnia Dawid znów zjawił się w tym samym miejscu, mimo iż tak usilnie starał się zapomnieć o wczorajszym spektaklu.

Siedział dłużej niż zwykle, kiedy zjawiła się ponownie. Dziewczyna rozejrzała się, czy nikt jej nie obserwuje, i stwierdziwszy, że nikogo oprócz niej nie ma, zaczęła się rozbierać.

Dawid Haman wstrzymał oddech. Rozsądek podpowiadał mu, że zachowuje się jak prymitywny podglądacz, lecz jakiś pierwotny instynkt drzemiący gdzieś w głębi ciała nakazywał mu pozostać.

Patrzył. Stasia miała na sobie tę samą koszulę co wczoraj, lecz dziś rozebrała się do samej bielizny. Poczuł tak intensywnie silny dreszcz, że nie mógł odejść. Nogi odmówiły mu posłuszeństwa, a w brzuchu skakały żaby. Wiedział, że źle robi, podglądając miejscową piękność, ale przestał czuć wyrzuty sumienia.

Następnego ranka obudził się wcześniej, by móc pójść nad staw. Państwo Kanzlowie zaprosili go z matką na konną przejażdżkę, ale Dawidowi udało się wymigać pod pozorem nieoczekiwanego nawrotu choroby. Rzeczywiście, coś w jego wyglądzie zastanowiło panią Hamanową, bo nie nalegała i pozwoliła zostać mu w Anielinie.

Czekał dłużej niż zwykle. A kiedy piękna Stanisława Mutter przyszła nad staw, jego ciało i serce były jednym kłębkiem niepewności i pragnień.

Dziewczyna wykąpała się jak zwykle. Wyszła z wody, ale zamiast ubrać się i wrócić do wsi, jak zwykła to czynić – stanęła na brzegu i zaczęła powoli rozpinać koszulę. Dawid przestał oddychać. Stasia odłożyła mokrą koszulę na brzeg i tak samo niespiesznie jak poprzednio rozsznurowywała halkę. Serce sławnego muzyka waliło niczym perkusja w ogromnej orkiestrze symfonicznej. Halka opadła na ziemię.

Stanisława Mutter w samych majtkach ruszyła do wody.

Dawid Haman w tej jednej krótkiej chwili zrozumiał, czym jest piękno absolutne i jak głupi był do tej pory, szukając go w poezji i muzyce. Zapomniał o starannym wychowaniu, o Alinie i delikatnych tonach fortepianu. Jego spodnie pękały od rozsadzającej je męskości młodego mężczyzny. Tylko to się liczyło.

Świat wokół wirował, a on bezwolny jak ołowiany żołnierzyk szedł krok po kroku do przodu, wprost na spotkanie swojej bogini. Dotknął jej biodra i rozwiązał jedwabny sznurek majtek. Zsunęły się wprost do ciepłej wody stawu. Dawid jęknął. Zapragnął przysunąć ją do swego rozgrzanego brzucha, lecz dziewczyna stawiła opór.

– Po ślubie – wyszeptała.

– Nie każ mi czekać... – błagał.

– Jeśli będę twoją żoną!

Każdy inny w jego sytuacji wziąłby siłą piękną wieśniaczkę, zaspokajając swój popęd – Dawid Haman należał jednak do rzadko spotykanej kasty ludzi honoru, którzy szanują cnotę i wolę kobiety.

– Dobrze, pojmę cię za żonę choćby jutro.

– Zatem do jutra! – rzuciła Stasia, pozostawiając na ustach młodzieńca przeniesiony dłonią pocałunek.

* * *

Nie sposób zorganizować ślubu z dnia na dzień. Wie o tym każdy, kto kiedykolwiek uczestniczył w przygotowaniach do tej najważniejszej uroczystości w życiu każdego człowieka. Ślub Stanisławy

Mutter nie mógł więc stanowić wyjątku. Lecz Stasia instynktownie czuła, że nie powinna zwlekać.

– Możecie śmiało szykować kiełbasy z cielaka na wesele. Dawid przekona panią Hamanową! Nie będę więc się przejmowała drobiazgami.

– Zgoda matki nie jest drobiazgiem, tym bardziej jeśli ten muzyk jest innego wyznania – argumentowała łagodnie Zofia. – My też chcemy twojego szczęścia.

Alina bezszelestnie odstawiła talerz z zupą. Od czasu ogłoszenia zamiarów siostry i Dawida posmutniała i nie odzywała się całymi dniami.

– Co jej jest? – zapytała Zofia.

– Och, nic. Po prostu zazdrości mi małżeństwa.

Stasia, która w przeciwieństwie do młodszej siostry była w znakomitym humorze, zatańczyła dookoła stołu.

– Wkrótce będę mieć takie stroje jak Hamanowa, będę jeździć automobilami i podróżować koleją żelazną po Europie. Będą mnie oglądać i podziwiać królowie i książęta... Może nawet któremuś z nich zawrócę w głowie?

– Przecież będziesz żoną wspaniałego człowieka... Artysty, kogoś może nawet lepszego od samych książąt... – odezwała się niepewnie Alina.

– Naturalnie, że będę. Nikt ani nic nie może mi w tym przeszkodzić! Ani w tym, ani w niczym innym, po co zechcę sięgnąć.

Kiedy wypowiadała te słowa, nie było powodu, by jej nie wierzyć. W owym czasie nie istniała w Anielinie żadna przeszkoda mogąca powstrzymać Stanisławę Mutter. Naiwnością jednak było ocenianie całego świata z perspektywy Anielina.

* * *

Alina od tygodnia nie wychodziła z kuchni. Jako jedyna oprócz Zofii kobieta w domu przygotowywała ciasta i pieczenie na wesele pięknej siostry, kiedy w drzwiach stanął Dawid.

– Stasia wyszła – dziewczyna poinformowała go słabym głosem.

– Nie szukam Stasi. Przyszedłem do ciebie.

– Nie powinnam tego słuchać! Jesteś moim przyszłym szwagrem. Kochasz Stasię, a ona ciebie.

– Stasia nie wie, czym jest miłość...

Alina spuściła oczy. Dawid podszedł bliżej.

– Wiem, że nigdy nie zdołasz mi tego wybaczyć, bo stało się coś nieodwołalnego, za co jako mężczyzna muszę odpowiedzieć.

– Czy masz na myśli...? – Dziewczyna przełknęła nerwowo ślinę.

– Tak. Lecz wiem, że to z tobą powinienem być. Zrozumiałem to bardzo szybko, ale było już za późno.

– Masz rację! – Alina zrobiła krok w tył. – Jest za późno. Bądź dobrym mężem dla mojej siostry.

Dawid prychnął pogardliwie.

– Po co to całe małżeństwo?! Rodzina nie może wybaczyć mi związku z katoliczką, matka mezaliansu, a ty...

– Ja? – Młoda kobieta odwróciła się, by ukryć płynące do oczu łzy. – Między nami nic nie było...

– Ale mogłoby być! – Dawid rzucił się, by przycisnąć twarz do kolan siostry wybranki. – Sama kiedyś mówiłaś.

Alina przecząco pokręciła głową.

– Zrozum! Nie dla mnie małżeństwo z tą pustą ślicznotką. Gdyby choć mnie kochała, ale nie! Ona kocha tylko pozycję Hamanów i moją przebrzmiałą sławę. Powiedz jedno słowo, a zerwę te durne zaręczyny. Aluś, błagam.

Szloch ukochanego chłopaka ścisnął za gardło Alinę.

„Kocham cię, kocham!!!" – wołała rozpaczliwie jej dusza, ale dziewczyna zdawała sobie sprawę, iż głos, który słyszy, oznacza ostateczną zagładę.

– Wyjdź! – powiedziała stanowczo. – I ożeń się ze Stanisławą, jak nakazuje przyzwoitość, lecz nigdy, pamiętaj, przenigdy nie wracaj do tej rozmowy. Dla spokoju mojego serca... szwagrze.

Dawid wstał i kołysząc się na nogach, próbował pochwycić dłoń Aliny.

– Przyrzeknij! – rozkazała, wyrywając rękę z jego uścisku.

– Przyrzekam, jeśli taka jest twoja wola.

– Idź już – powiedziała twardo.

Kiedy Dawid Haman, wielka młodzieńcza miłość mojej babki i wielka namiętność mojej ciotecznej babki, wyszedł z kuchni, pod Aliną ugięły się nogi. Oczy przesłoniła jej szara kurtyna. Babka straciła przytomność.

* * *

Kiedy Alina się ocknęła, była już inną kobietą. Postanowiła nigdy więcej nie myśleć o Dawidzie ani nie mówić o nim inaczej niż jako o mężu swojej siostry. Była w jej postanowieniu nie tylko godna podziwu lojalność wobec Stanisławy, ale też troska o własne szczęście. Wyrzucenie z pamięci miłości do pianisty robiło w niej miejsce na nowych ludzi, nowe wydarzenia i przeżycia.

Najgorsze jest pielęgnowanie w sercu niezgody na własny los. To tak, jakby nie pozwolić zagoić się bolesnej ranie i w końcu umrzeć w bólu i cierpieniu.

Babcia Alina wybrała życie. Własne życie.

* * *

– Uff, wreszcie jest pani z powrotem! – Pisarz pochylał się nade mną, wachlując jednocześnie czymś białym nad moją twarzą.

– Co to jest? – wysapałam bez sensu.

Właściwie miałam zamiar zapytać, co się stało, ale oszołomione upadkiem szare komórki odmówiły posłuszeństwa. Tym samym naraziłam mojego pracodawcę na kłopotliwe wyjaśnienia, że z braku lepszego pomysłu cucił mnie swoją chusteczką do nosa. Zaraz zresztą schował ją wstydliwie w ogromną czeluść kieszeni sztuczkowych spodni.

– Zatem zemdlałam – bardziej stwierdziłam, niż zapytałam.

– To na pewno z emocji – przyznał pan Jerzy, podsuwając mi poduszkę pod plecy. – Ta cała historia ze Stanisławą Mutter, Dawidem i tym Amerykaninem musiała panią bardzo zdenerwować.

Zabawne – pomyślałam – iż ktoś, kto dożył trzeciego tysiąclecia, wciąż wierzy, że kobiety mdleją z emocji! Jak osiemnastowieczne pensjonarki. No i cuci je chusteczką do nosa wielkości sztandaru narodowego!

Pisarz przysiadł tuż obok mnie. Ze względu na wiek i ból pleców zrobił to z pewnym wysiłkiem.

– To pan powinien się oszczędzać. Mnie nic nie jest.

Pokręcił w zadumie głową.

– Mówiłaś, że takie omdlenia zdarzały się już w twojej rodzinie...

Skinęłam głową, nie bardzo wiedząc, do czego zmierza.

– Rzadko coś dzieje się przypadkowo, samo z siebie. Kiedy dusza człowieka chce coś powiedzieć, często krzyczy ciało.

– Ciało?

– Tak. Pani ciało zemdlało.

Przyznam, że nigdy tak o tym nie myślałam.

Wieczorem samotnie otworzyłam butelkę wina, choć nie robiłam tego od czasu, kiedy pogodziłam się z odejściem pewnego bliskiego mi mężczyzny, a tym samym z fiaskiem większości planów na przyszłość. Kobieta samotnie walcząca z korkiem od butelki kojarzyła mi się wówczas z życiowym nieudacznictwem i sercową klęską – ale teraz nie miałam już żadnych skojarzeń. Byłam wolna. Prawie...

Nalewałam wino po ściance szkła, przyglądając

się pod światło jego intensywnej barwie. Pachniało południem Europy, historią i domem. Smakowało mi.

Zemdlałam tylko raz, a jak twierdzą ziomkowie mojego pradziada *einmal ist keinmal*. Co zdarzyło się raz – jakby nie zaistniało nigdy.

Uśmiechnęłam się do siebie, przypomniawszy sobie przeczytaną gdzieś sentencję, że kto żyje tylko raz, prawie wcale nie żyje.

Czy zatem ja żyję? Albo – czy żyłabym bardziej dzięki większej wiedzy o życiu swoich przodków, a z czasem i dzieci? Postanowiłam to usystematyzować.

Z butelką wina na zabicie złych myśli dumałam nad wielokrotną tożsamością. Gdybym była buddystką, wierzyłabym w reinkarnację, a tak pozostawała mi tylko mało krzepiąca wiara w biologię.

Zatem za upadające morale młodych i wciąż dobrze się zapowiadających kobiet wszystkich epok! Wzniosłam toast i wypiłam do dna pozostałość butelki.

* * *

Niedawno skończyła się jedna wojna, a druga właśnie miała się rozpocząć, kiedy w Anielinie przebrzmiewały echa najdziwniejszego ślubu w dziejach wsi: Stanisławy Mutter z domu Pruskiej i niejakiego Dawida Hamana, który tuż przed ceremonią zaślubin zmienił wyznanie z mojżeszowego na chrystusowe.

Nie wiadomo, czy zmiana ta była tylko czystą formalnością, czy też młody pianista istotnie zaczął czcić innych proroków, ważne, że wesele było zaskakująco skromne jak na tak wybitną osobistość.

Stanisława oszałamiała urodą. Prosta suknia bardziej niż wytworne koronki podkreślała piękno jej twarzy, gęstych włosów oraz smukłość figury.

Zofia, która bała się tego nietypowego mariażu, zaczynała wierzyć, że córce – tak jak kiedyś jej – życie się ułoży. Radość z wesela psuła jej tylko jedna rzecz: dochodziły słuchy, że zakochany w Stasi po uszy rudy urzędnik pragnie pomścić zniewagę, jaką w jego oczach było wybranie innego konkurenta.

Również pani Hamanowa obawiała się skutków związku syna z wiejską dziewczyną. Jako kobieta światowa rozumiała modne ostatnimi laty zamiłowanie establishmentu do wsi i natury, jednak na weselu nie pojawił się prawie nikt z bogatszej części ich rodziny.

– Wojna, ech, wojna! – wzdychała w rozmowach z Kanzlami. – To tylko czcza wymówka. Wydaje mi się, że w innym wypadku moje kuzynki, zamiast przeprawiać się jakimś zatłoczonym statkiem do Ameryki, przyjechałyby na ślub Dawida. Bo powiedzcie sami, gdzie cywilizowany człowiek może być bezpieczniejszy niż w Europie?

Rebeka Kanzel tylko kręciła głową.

– My z Mojsze też niebawem wyjeżdżamy.

– Po co ta przezorność? Przecież większość zostaje. Prasa jest może nieprzychylna Żydom, ale wiele w tym winy ortodoksyjnych rabinów ze stolicy.

I tak zawsze wywiązywała się dyskusja, w której pani Hamanowa pragnęła wykazać się niezwykłą dla żydowskiej kobiety znajomością polityki i otwartością umysłu. Kanzlowie, którzy wiedzieli swoje, opuścili wkrótce Anielin i zostawiwszy dom pod opieką nowożeńców oraz pani Hamanowej, udali się w nieznane.

Wiem, że babcia Alina niejednokrotnie próbowała skontaktować się z Esterą, pisząc listy na *poste restante*. Nigdy jednak nie słyszałam, by otrzymała jakąkolwiek odpowiedź.

* * *

Telefon brzęczał natarczywie. Od kiedy pracowałam dla Falbera, zasypiałam o najróżniejszych godzinach i budziłam się bardzo późno. Tym razem jednak na dworze było zupełnie ciemno, a wskazówka pokazywała czwartą w nocy.

– Babcia? – wyszeptałam, mając niejasne przeczucie, że coś złego jej się stało. Bądź co bądź miała już swoje lata.

– No. No babcia. My name is Peter Adamsky. Prawnik pana Andrew Szulca. Właśnie otrzymaliśmy pani list – głos w słuchawce był wyjątkowo radosny.

– I z tego powodu pan mnie budzi? Że list doszedł? – nie mogłam wyjść ze zdumienia.

Kiedyś polska poczta nie działała może najlepiej, ale czasy się zmieniły, a wraz z nimi wzrosło prawdopodobieństwo, że przesyłka wrzucona do skrzynki dotrze na wskazane miejsce.

– Yes! – Prawnik nie krył zadowolenia. – Ale wieści są złe. Stanisława nie żyje.

Ci Amerykanie są doprawdy dziwni! Niby martwi się śmiercią cioci, ale mówi o tym tonem, jakbym właśnie wygrała milion dolarów.

– Pan Andrew chce ustanowić fundację imienia nieboszczki.

– Bardzo proszę. Nie mam nic przeciwko temu. Idę spać! Dobranoc – wyrecytowałam jednym tchem.

– Ależ one minute, Miss! Proszę.

– Tylko szybko!

Przyznaję, że obudzona w środku nocy nigdy nie bywam przesadnie uprzejma. Jedyne, co mnie tłumaczy, to fakt, że wyrwana ze snu nie mogę później usnąć do rana.

– Pan Andrew chciałby uzgodnić termin zobaczenia grobu Stanisławy, a następnie myśli o zorganizowaniu pośmiertnych wspomnień w gronie najbliższej rodziny. Ma się rozumieć, że państwo nie będą mieli nic przeciwko temu, że dokumentalista nakręci przy okazji małe epitafium ku czci nieboszczki. To bardzo elegancka idea! Pani też może w nim wystąpić i opowiedzieć, czemu tak kochała bardzo swoja ciocia.

– Ja nie znała swoja ciocia! – odparowałam, przedrzeźniając wymowę prawnika. – Ja za młoda!

– O, to much better! Wspaniale! My w Hollywood lubić młoda kobieta w filmie – Peter Adamsky był szczerze uradowany. – Czy Miss Julia też jest taka ładna jak Miss Stanisława?

– Nie! – warknęłam, wściekła, że wdaję się w dyskusję z jakimś idiotą nasłanym na mnie w środku snu.

– Nic nie szkodzić – głos w słuchawce nie tracił nic ze swojej pogody. – Bez wielka uroda będzie bardziej dramatycznie. Kino to lubi! Oh, Yeah!

Odłożyłam słuchawkę i parsknęłam niepohamowanym śmiechem. Cała złość na mojego rozmówcę i jego podstarzałego pracodawcę – multimilionera – prysła niczym bańka mydlana.

* * *

Po ślubie Stanisławy Mutter nic nie przynosiło ukojenia Tomaszowi Kolcowi: ani spirytus, ani papierosy, ani władza, jaką daje posada w magistracie.

– Miałem dla niej tyle szacunku, że nawet ust w jej obecności bez pozwolenia nie otwierałem. – Urzędnik spuścił głowę na blat szynku. – A tu przyjechał jakiś wszawy Żydek z miasta i ją sobie wziął, ot tak! – Kolec strzelił palcami. – Jakby była jego własnością. A ona była przecież prawie moja...

– Pan jest potężnym człowiekiem, pracuje w urzędzie – pocieszał Kolca towarzyszący mu jeden z dawnych wiejskich adoratorów Stasi. – Niejedna jeszcze za panem w ogień poleci!

Pili już piąty tydzień. Początkowo zgodnie użalali się nad niesprawiedliwością losu, który rzucił najpiękniejszą dziewczynę we wsi w ręce obcego. Później chłopcy towarzyszyli w gospodzie rudemu urzędnikowi jedynie z chęci napicia się gorzałki na jego koszt. Wiadomo, że każda, nawet najgłębsza rozpacz musi się kiedyś skończyć, warto więc było skorzystać z okazji pocieszania nieszczęśnika.

Tomasz Kolec nie słuchał ludzkiego gadania, nie potrzebował litości i nie czuł solidarności z innymi odtrąconymi. Nie wstydził się swojego szaleństwa, bo wierzył, że miłość rozgrzesza wszystko, nawet opętanie.

Zawiódł się na wszystkich, najbardziej na Zofii i Jürgenie, którzy przegnali go ze swojego domu i zabronili upominania się o córkę. Uderzył pięścią w stół.

– Jeśli ja jej nie będę miał, nikomu na to nie pozwolę. Nikomu! Żadnemu przybłędzie!

– Dobrze, już dobrze, panie Kolec, napijmy się! – wybełkotał pojednawczo jeden z jego towarzyszy.

Na te słowa gorzałka ponownie polała się do szklanki urzędnika.

* * *

List Mutter dotarł pewnego sierpniowego dnia tysiąc dziewięćset trzydziestego dziewiątego roku. Na kopercie widniała pieczątka niemieckiego urzędu pocztowego ze swastyką w prawym rogu. Ponieważ nikt się go nie spodziewał, stał się największym wydarzeniem dnia. Jürgen nie otworzył go natychmiast, jak ludzie zwykli czynić z niespodziankami, tylko chodził z nim po domu, powtarzając w kółko dwa słowa:

– Tyle czasu... Tyle czasu...

Pod wieczór, gdy wszyscy zebrali się w jadalni, Jürgen otworzył kopertę. Zamiast pisma Mutter zawierała krótki list od jednej z jej sąsiadek. Z treści wynikało, że Mutter wciąż żyje, choć jej dni są policzone. Przed śmiercią chciała zobaczyć syna.

– Tylko tyle? – dziwiła się Zofia. – Po przeszło dwudziestu latach?

Jürgen nic nie odrzekł.

Następnego dnia również milczał. I kolejnego. Trzeciego dnia podjął decyzję.

– Pojadę. Mutter to zawsze Mutter. Cokolwiek by mówić, to ostatnia szansa, byśmy się zobaczyli.

– Chcesz jechać do Rzeszy? Sam? Przecież Niemcy prowadzą wojnę.

– Hitler ma zatargi z Czechami, a nie z nami, kochanie. Możesz być spokojna. Wrócę do ciebie i do naszych dzieci. Jeszcze przyjdzie nam wychowywać wnuki, moja Poleczko...

Lecz Zofia wcale nie była spokojna.

* * *

Sklep, w którym od lat robiłam zakupy, został z dnia na dzień zamknięty. Wcześniej, co prawda, pojawiały się pewne tego symptomy – coraz bardziej puste półki, krótsze godziny pracy, zniecierpliwienie sprzedawcy.

W radiu nadawali audycję o kolejnej fali emigracji, o tym, że dotychczasowa formuła życia wielu młodych ludzi się wypaliła i pragną ją zrealizować gdzie indziej. Może to i racja? Może odpowiedzią na to, czego szukam ja, mój uczony, mądry pisarz i tamten sklepikarz, jest konieczność zmian? A Antek Szulc? Czego z tej cholernie dalekiej, niezrozumiałej dla nas Ameryki chce od życia, czego chce ode mnie?

Raz po raz próbowałam samą siebie przekonać, że nie powinnam robić czegoś, co mogłoby mi sprawić jakikolwiek kłopot, a nawet o tym myśleć.

– Cholerny Antek Szulc i jego wspominki o cioci Stasi! – Cisnęłam w kąt stare zdjęcia, które tak pieczołowicie wyszukiwałam dla niego przez ostatni tydzień.

Nie było najmniejszych wątpliwości, że hollywoodzki adorator Stanisławy Mutter burzył mój święty spokój. Zawahałam się jednak i podniosłam fotografie. Ze zżółkniętego papieru wpatrywali się we mnie śmieszni ludzie w śmiesznych kapelusikach. Jeśli był wśród nich Antek Szulc, nie potrafiłam go nawet rozpoznać. A jednak dzięki jego listowi widzę wyraźnie to, o czym myślałam od lat – moją przeszłość, przeszłość mojej rodziny, kopalnię tożsamości, dzięki której żyjemy w końcu wielokrotnie.

Pragnęłam zobaczyć siebie przez swoją pamięć tak wyraźnie, jak Stanisława widziała siebie przez swoje ciało.

* * *

W kwaterze wojsk niemieckich, które dziesiątego września ulokowały się pod Anielinem, przebywało kilka nagich kobiet. Nie były to jednak więźniarki czy wzięte siłą branki, ale zwykłe prostytutki z miasta. Tomasz Kolec podglądał je przez szparę w płocie. Niemcy byli tak pijani, że gdyby nie strach, który paraliżował wieśniaków, mogłoby ich rozbroić trzech mężczyzn.

Kolec też miał dobrze w czubie. Pił od ślubu Stanisławy i uodpornił się na alkohol tak bardzo, że od dawna wódka przestała znieczulać wewnętrzny ogień trawiący jego mózg.

Widział, jak wywozili Żydów. Brali na ciężarówkę Hamanową, która spakowała się w wielką walizkę z cielęcej skóry i włożyła złote kolczyki.

– Czy te wszystkie durne Żydki myślą, że jadą na wywczasy? – zaśmiał się do siebie, lecz w jego śmiechu nie było radości.

Patrzył na tych, którzy jak Hamanowa udawali, że nic się nie dzieje, i na tych, którzy bezskutecznie błagali na kolanach gestapowców, by ci podarowali im choćby parę dni.

Tomasz Kolec splunął na ziemię. Spodziewał się zobaczyć wśród wywożonych Stasię i jej żydowskiego małżonka. Może poczułby choć trochę satysfakcji. Ale nie było ich ani w ciężarówce, ani nawet na miejscowej Judenliste. Było dla niego jasne, że przechrzta musiał użyć pieniędzy, by załatwić sobie spokój. Lecz on, Tomasz Kolec, urzędnik magistratu i ważna osobistość, nie zamierzał tej sprawy tak zostawić.

Ruda broda porastała mu twarz, bo nie miał już powodu, by się golić. Nie ubierał się czysto i wytwornie jak dawniej, coraz rzadziej również się mył. Czuł wstręt do siebie samego za to, kim się stał, i za to, co zamierzał zrobić.

To było ciche, niedzielne popołudnie. Pewnym ruchem pchnął furtkę koszar. Nie wahał się. Dwaj hitlerowscy żołnierze obmacywali na dziedzińcu miejskie dziwki. Te chichotały i wlewały alkohol do ust grubego wartownika.

– Chciałem donieść, że we wsi ukrywa się Żyd.

– *Was?* – hitlerowiec podniósł głowę.

– *Juden! Juden in Dorf Anelin!*

Niemiec tylko machnął ręką, dając mu znak, by przyszedł później. Kolec jednak ani drgnął.

– Złożyłem donos i domagam się interwencji. Jestem nie byle kim, tylko urzędnikiem z magistratu.

Stał tak z irytująco posępną twarzą, niczym kamienny posąg wrośnięty w murawę.

– *Raus!* – wrzasnął zdenerwowany Niemiec, którego właśnie opuściła naga dziewczyna.

Przyłożył lufę karabinu do piersi Kolca.

– *Raus!!!* – powtórzył.

Wtedy zdarzyło się coś niesłychanego. Tomasz Kolec, niepozorny urzędnik z magistratu, wyrwał Niemcowi karabin. Jego dwaj towarzysze oprzytomnieli na tyle, by rzucić się w poszukiwaniu swojej broni. Było jednak za późno. Karabin maszynowy w dłoni Kolca plunął ogniem, raniąc jednego z nich, a zabijając dwóch pozostałych i jedną prostytutkę.

Nie było na co czekać. Kolec zdał sobie sprawę, że przekroczył punkt krytyczny i nie ma już odwrotu. W dziesięć minut później był w starym domu Kanzlów, zamieszkiwanym przez moją piękną cioteczną babkę i jej świeżo poślubionego małżonka.

* * *

Nikt poza Tomaszem Kolcem, Stanisławą Mutter i Dawidem Hamanem nie wie, co dokładnie wydarzyło się tamtego wieczoru. Niestety, nikt z nich nie mógł już nikomu o tym opowiedzieć.

Trzy ciała poprzebijane karabinowymi kulami znaleziono nad ranem. Dawid w podziurawionej koszuli i z zaskoczoną miną leżał nieopodal fortepianu, urzędnik u stóp Stasi z samobójczo przestrzeloną głową.

Najbardziej zadziwiająco na tym tle wyglądała sama Stasia. Spoczywała podparta stosem poduszek, które Kolec podłożył pod plecy ukochanej. Rozpuszczone, piękne włosy rozłożone były na oparciu niczym czarna aureola. Dookoła zaś leżało mnóstwo kolorowych, ściętych w ogrodzie kwiatów. Największy bukiet przykrywał zaś piersi kobiety, zakrywając dziury po nabojach.

Ludzie powiadali, że wyglądała niczym Matka Boska wjeżdżająca do nieba na kwiecistym rydwanie.

*

Czynu Tomasza Kolca nie puścili w niepamięć również Niemcy. W odwetowej egzekucji hitlerowcy rozstrzelali kilkunastu niewinnych ludzi, w tym całą rodzinę Kolców.

Od tego czasu we wsi zapanował względny spokój.

* * *

W nieoznaczonej od strony ulicy siedzibie Towarzystwa Przyjaźni Polsko-Żydowskiej nie było widać wielkiego poruszenia, choć kilkakrotnie nas zapewniano, że zapowiedź przyjazdu Falbera wywołała prawdziwą furorę. W salce siedziało około dwudziestu osób, a zachowanie żadnej z nich nie wskazywało na jakąkolwiek ekscytację. Mogło być jednak inaczej, przecież bywalcy wieczorków literackich różnią się spontanicznością reakcji od kibiców piłkarskich. Pomyśleć tylko, że dla tej garstki ludzi Jerzy Falber tłukł się pociągiem bite cztery godziny. Wątpiłam, czy w miasteczku zastaniemy porządny hotel, ale mój pracodawca zapewniał, że nigdy nie będziemy w stanie odróżnić rzeczy ważnych od nieważnych, dopóki ich nie przeżyjemy, nie damy im szansy zaistnieć.

Przywitały nas brawa: grzeczne, stłumione, jakby wybijane w aksamitnych rękawiczkach.

– Więc tak wygląda środowisko żydowskie w Polsce? – spytałam kierowniczkę saloniku, gdy Jerzy Falber zajął miejsce za stołem.

– Rozczarowana? – odpowiedziała pytaniem ufarbowana na kasztanowo kobieta.

Inaczej wyobrażałam sobie Żydów. Mówiono mi, że na koncertach Dawida Hamana mdleli i szaleli jak na popisach współczesnych rockmenów, a tu jedynie ciche klap, klap, klap i uprzejme pytania o literackie plany pana Jerzego.

– Jeszcze kilka lat temu przyszłyby wyłącznie starowinki w perukach, a teraz, proszę spojrzeć – kierowniczka powiodła dłonią w stronę krzeseł zajmowanych przez młodą blondynkę i towarzyszącego jej przystojniaka.

Para wyglądała jak z reklamy sprzętu audio-wideo lub telefonów komórkowych.

– Chce pani powiedzieć, że on i ona, że oni...

– Tak! Zawsze można wrócić do wiary przodków. Sara w rzeczywistości nosi imię Elżbieta, lecz tu nazywamy ją tak, jak o to prosiła – żydowskim imieniem.

Dziewczyna wstała. W niczym nie przypominała wpojonego mi stereotypu Żydówki – nie była ani niska, ani ciemnowłosa. Nie miała nawet ciemnych oczu.

– Pana ostatnia powieść jest jak zagubiony klucz do domu – odezwała się pewnym, dźwięcznym głosem.

– Odnalazłaś ten klucz?

– Tak myślę.

Falber spojrzał w moim kierunku.

– Myślę, że był on zawsze w twojej kieszeni. Tylko nigdy nie miałaś odwagi go tam poszukać. Literatura nie ma daru sprowadzania cudów do naszych stóp. Czytając książkę, słuchając muzyki, oglądając stare zdjęcia tak naprawdę doskonale wiesz, czego szukasz, a patrząc w moją twarz, szukasz jedynie potwierdzenia.

Dziewczyna zawahała się, a ja nie miałam wątpliwości, że mówi do nas obydwu.

– I je znajdziesz – dokończył z uśmiechem. – Po to jest sztuka, bezkresne zwierciadło, które ma moc pokazywania naszego prawdziwego oblicza – obrazu naszej duszy.

– Pisarz ma rację, Saro – odezwał się stary mężczyzna siedzący w kącie. Do tej pory miałam wrażenie, że drzemie. – Sztuka jest ważna, ale najważniejsze jest to, co nosimy w środku.

– Religię? Wiarę? Miłość? A może nadzieję? – zapytałam i przestraszyłam się dźwięku własnego głosu w tej prawie pustej, ciemnej salce.

Wszyscy patrzyli na mnie jak na obcą, jak na intruza, którego obecności nikt do tej pory ani nie zauważał, ani zauważyć nie chciał. Nie chciałam i nie mogłam pozostawić pytania zawieszonego w próżni. Odchrząknęłam.

– Zatem dobrze – zaczęłam cicho. – Chcę się czegoś dowiedzieć...

– Pytaj, Julio! – zachęcił pisarz.

– Czy nazwisko Haman coś państwu mówi? Dawid Haman.

Kilka osób przecząco pokręciło głowami.

– Zupełnie nic?

– Miałam kuzynkę Hamanównę, chyba właśnie tak jej było z domu... – wzruszyła ramionami kobieta o wyglądzie księgowej.

– Więc na pewno musiała pani coś słyszeć o Dawidzie Hamanie, wielkim wirtuozie fortepianu. Grywał w Berlinie. Ludzie na jego koncertach płakali ze wzruszenia, a on zginął na samym początku wojny – wyrzucałam z siebie słowa. – I nikogo to nawet nie obeszło!

Ludzie smętnie kiwali się w fotelach. Nikt nie miał ochoty podejmować tematu.

– Czy stracili państwo pamięć? Myślałam, że trwanie kultury polega na wspomnieniach.

– Nie, panienko – odezwał się ten sam co poprzednio staruszek z kąta. – Trwałość kultury polega jedynie na zapominaniu.

Zaległa cisza, którą przerwał Falber, ogłaszając, że będzie podpisywał swe książki.

– Hitlerowcy? – zapytała z zaciekawieniem ruda kierowniczka. – Czy to hitlerowcy zabili tego muzyka?

– Nie. Chora miłość.

Kobieta smętnie spuściła głowę.

– Tak jak nas wszystkich...

Gdy wracaliśmy na dworzec, postanowiłam podziękować Falberowi za to, że zabrał mnie na wieczór literacki w miasteczku. Chciałam mu powiedzieć, jak wiele się nauczyłam, i przeprosić za zamieszanie, jakie niechcący, w sposób zupełnie niepasujący do mojego temperamentu wywołałam. Ale to on odezwał się pierwszy:

– Powinnaś opowiedzieć im o swoim stryjecznym dziadku.

– Bzdura! – żachnęłam się. – Przecież nawet wcale nie chcieli mnie słuchać.

– Ach, ci ludzie! – roześmiał się pisarz. – Każdy z nich ma tyle do powiedzenia, że głosom innych dawno odebrano znaczenie. Więc trzeba mówić ponad głosami wszystkich i mimo wszystko. Takie nasze prawo.

– Sam pan w to nie wierzy.

– Przeciwnie. Inaczej nie zostałbym pisarzem.

Powinnam jakoś rozsądnie i błyskotliwie zareplikować, bronić prawa tych ludzi do odrębności, taktu i słuchania tylko tego, na co mają ochotę, ale tym razem łatwo dałam za wygraną.

– Cieszę się, że u pana pracuję – wyznałam, rozkopując nogą opadłe liście.

Falber nic nie odpowiedział, a ja wsłuchiwałam się w odgłosy cichego wieczoru małego miasteczka.

– Pamiętasz, jak mówiłem, że sztuka jest lustrem? – odpowiedział po dłuższym czasie. Był bardzo skupiony. – Myślę, że mdlejąc, tak jak twoja babka czyniła to w ważnych chwilach w życiu, dotknęłaś zwierciadła swojej duszy.

* * *

Ludzie ze wsi i małych miasteczek mają pewną przypadłość – zupełnie nie doceniają uroków miejsca swego zamieszkania. Z obserwacji wiem, iż mija ona w starszym wieku, kiedy zwykle nie tylko godzą się z tym, co mają, ale też z rozrzewnieniem wracają do uroków krainy lat dziecinnych.

O powrocie do Anielina myślałam przeważnie wówczas, gdy ktoś z bogatych mieszczuchów wspominał o kupieniu posiadłości na wsi i spędzeniu tam w sielankowym szczęściu reszty życia.

– Moja asystentka pochodzi z czarujących okolic Puszczy Pilickiej. – Falber mówił o mnie tak, jakbym w ogóle ich nie słyszała z drewnianej antresoli, gdzie wstawiliśmy komputer na czas malowania ścian.

Mecenas i mecenasowa od razu podjęli temat. Towarzyszący im wojskowy lekarz natomiast szybko wychylił kieliszek koniaku. Obserwując ich, zdążyłam zauważyć, że rozmawia wyłącznie o swoich pacjentach, jakby poza szpitalem świat w ogóle nie istniał. Aż dziw – pomyślałam – że Falber przyjaźni się z tak osobliwymi ludźmi.

Wyobrażałam go sobie raczej w otoczeniu muz, poetów i innych sławnych pisarzy. Tymczasem jakie takie funkcjonowanie w „towarzystwie" wymagało stałych kompromisów i – jak mawiał mój chlebodawca – słuchania ludzi rozmaitego pokroju.

– Człowiek powinien mieć dom – dobiegł mnie głos Falbera. – Mieszkanie nigdy nie zastąpi uczucia posiadania na wyłączność swojego miejsca na ziemi.

Państwo mecenasostwo posiadali wielki dom i ochoczo przytaknęli pisarzowi.

– W sąsiedztwie jest do sprzedania nowy dom. Trzy garaże... – zachęcał pan mecenas.

– Nie mam samochodu i nie zamierzam go sobie kupować – oznajmił gospodarz, budząc tym stwierdzeniem szczere zdumienie wśród gości. Nawet lekarz oderwał wzrok od kieliszka z koniakiem. –

Poza tym myślałem raczej o czymś starym, z przeszłością i własną historią...

Mecenasowa, ufryzowana na modną w latach osiemdziesiątych „mokrą Włoszkę", uśmiechnęła się wyrozumiale. Jerzy był przecież pisarzem i jako przedstawiciel oryginalnego zawodu miał prawo do niewinnych szaleństw, do których w jej oczach zaliczała się rezygnacja ze wszelkich zewnętrznych znamion sukcesu.

Kiedy goście wyszli, oświadczyłam Falberowi, że uważam ich za strasznie staroświeckich. Zrobili na mnie wrażenie bogaczy z czasów PRL – snobistycznych i zapatrzonych w siebie. Nawet on przyznał, że zbytnio się nie pomyliłam, w naturze ludzkiej leży bowiem zwierzęce przywiązanie do czasów własnej prosperity. W ich wypadku było to dwadzieścia lat temu.

Nim zakończyłam pracę, jeszcze raz wrócił do wizyty znajomych.

– O tym domu, pamięta pani, mówiłem całkiem poważnie... Jeśli nie miałaby pani nic przeciwko temu, chętnie przejechałbym się kiedyś do Anielina. Wasz rodzinny dom bardzo poruszył moją wyobraźnię, a poza tym... hm, mógłbym pomóc temu Amerykaninowi szukać śladów Stanisławy Mutter.

* * *

Kończyłam list do prawnika Andrew, nie będąc pewna, czy ta cała historia zainteresuje kogoś, kto zna tylko celuloidową wojnę. Pocieszające wydawało mi się, że to, co Stanisława Mutter miała najcenniejszego, zachowała po śmierci – zdumiewająco piękne ciało. To samo ciało, które tak kochali Dawid Haman, Tomasz Kolec i platonicznie Antek Szulc.

Nie od dziś wiadomo, że nieszczęścia chodzą parami, więc do żałoby po tragicznej śmierci Stasi doszedł niepokój wywołany brakiem wieści od Jürgena. Miał trzeci miesiąc, odkąd wyruszył w podróż do Guttstadtu, i wszelki słuch po nim zaginął. Zofia modliła się do świętego Jerzego o powrót pilota, lecz jej patron milczał jak Jürgen.

Pewnego dnia mąż przyszedł do niej w nocy. Stanął naprzeciwko Zofii w ślubnym garniturze i czapce pilotce, jedynej rzeczy, jaka ocalała z bagiennego pochówku aeroplanu. Wyglądał na znużonego i (jak zwykle, kiedy chorował lub niedomagał) mówił do żony po niemiecku. Był również bardzo chudy.

– Mów, Jurguś, po ludzku, bo nijak nie mogę zrozumieć – prosiła Zofia ostrożnie, bojąc się, że może spłoszyć ducha. – Czy żyjesz tam w tej Rzeszy? Czy ci dobrze?

Jürgen odpowiedział coś szybko i nie pożegnawszy się, zniknął bez śladu.

Nikt nie mógł wyjaśnić, co ów sen może oznaczać, ale nie trzeba było być specjalnie przewidującym, żeby stwierdzić, iż Jürgen ma kłopoty.

Alina wypatrywała końca wojny. Teraz ciężko im było o przyjaciół. Niektórzy chcieli w niej widzieć pół-Niemkę, a ci, którzy sprzyjali wrogom – osobę skoligaconą z Żydami. Kiedyś stwierdzili z Tadkiem, że walka o rodzinny honor nie tylko nie przynosi rezultatów, ale tylko rozwścieca pogrążonych w biedzie i cierpieniu sąsiadów.

Wówczas oboje postanowili, że nie powielą rodzinnych błędów i poślubią kogoś „właściwego", za którego pochodzenie nigdy, przenigdy ich dzieci nie będą musiały odpowiadać przed żadnym najeźdźcą ani z powodu koloru skóry, ani narodowości, ani nawet religii.

Dla Tadka taki ktoś pojawił się równo dwa miesiące po sylwestrze 1944 roku.

Urszula przyjechała z Warszawy, gdzie w oblężonym mieście studiowała architekturę. Nosiła druciane okulary i wierzyła w obiecywaną przez socjalistów sprawiedliwość społeczną. Zofii nie w smak było, że dziewczyna nosi spodnie i pali papierosy. Najbardziej jednak nie podobało jej się to, że Urszula zupełnie nie wierzy w siłę sprawczą świętego Jerzego.

Tadkowi było to najzupełniej obojętne. Nie mniej od pasjonujących rozmów z Urszulą liczyło się to, że uważała ona rozpoczynanie pożycia dopiero po ślubie za staroświecki przesąd. Uznał spotkanie takiej dziewczyny dla mężczyzny w swoim wieku za prawdziwy skarb i nie miał zamiaru pozwolić mu umknąć.

– Jesteś taka mądra! – powtarzał, błądząc palcami po guzikach jej męskiej koszuli. – Taka inteligentna... – Gdy to mówił, jego dłonie osuwały się ku sutkom warszawianki. – Rozjaśniłaś mój horyzont myślowy.

Cokolwiek mój wujek Tadek by mówił, było w tym wiele prawdy – Tadeusz był autentycznie szczęśliwy z poznania Uli. Powiem więcej, był tak bardzo zadowolony, że mimo braku ponagleń ze strony studentki, postanowił poprosić ją o rękę. Ona również zbytnio się nie wzbraniała przeciwko „przestarzałym obyczajom" i chętnie przystała na niepostępową propozycję Tadka.

Wojenny ślub odbył się bez rozgłosu i tradycyjnego na wsi hucznego wesela. Alina i Zofia przyrządziły skromny obiad, na który składały się warzywa z przydomowego ogródka i ostatnia kura ze skonfiskowanego przez Niemców gospodarstwa. Daleko mu było do dwudniowej uczty, jaką urządzono z okazji ślubu Stanisławy Mutter.

– Może to i lepiej – pocieszała matkę Alina, nakładając gościom resztki kapusty z prawie pustego garnka. – Małżeństwo Stasi nie skończyło się najlepiej, więc pewnie Tadeuszowi po tak skromnym weselu powiedzie się znakomicie.

– Z kobietą przebierającą się za mężczyznę? – dziwiła się Zofia. – Za moich czasów byłoby to niemożliwe!

– Zapewniam cię, iż Tadek przed ślubem upewnił się, że warszawianka jest najprawdziwszą kobietą... – Alina uśmiechnęła się figlarnie.

– Ach, niech wam będzie! – Matka machnęła ręką

zrezygnowana. – Bylebyś ty, córuś, chociaż związała się z prawdziwym mężczyzną.

* * *

Dzień zwycięstwa był najszczęśliwszym dniem dla naszej rodziny. Stał się najszczęśliwszy podwójnie, gdyż przed zmierzchem na podwórku od strony lasu zamajaczyła wysoka, lekko przygarbiona sylwetka człowieka z podartym plecakiem na ramieniu.

Choć minęło pięć najdłuższych lat w historii Europy, Zofia nie mogła nie rozpoznać najbliższego sercu mężczyzny.

– Jürgen!!! Jürgen wrócił!!!

Dwoje pięćdziesięciolatków rzuciło się sobie w ramiona. On, wyniszczony, potykający się i słaby, gorąco całował posiwiałe włosy podstarzałej kobiety.

– Obiecałem, Zosiu... Obiecałem powrócić, choćby nie wiem co...

Zofia dotknęła policzkiem przedramienia męża. Nosiło bolesny ślad pobytu w obozie koncentracyjnym.

– Czy...? – głos uwiązł Zofii w gardle i nie potrafiła dokończyć pytania.

– Uciekłem, Zosiu. Do ciebie i do dzieci.

Pradziadek spał trzy dni i trzy noce, nie budząc się w tym czasie ani do stołu, ani do toalety. A kiedy wstał, opowiedział Zosi, co go spotkało w ostatnich pięciu latach.

Wzięty za komunistycznego szpiega (zapewne przez wschodni akcent, którego nabrał podczas pobytu w Anielinie), trafił najpierw do gestapowskiego więzienia, a potem wraz z innymi niepewnymi politycznie wprost do obozu koncentracyjnego. Przeżył tam kilka ciężkich lat, w czasie których każdego dnia i każdej nocy myślał o Zofii i o dniu, kiedy wróci do Anielina. Kiedy zorientował się, że nie ma szans być oczyszczonym z zarzutów i wyjść żywy z obozu, szukał okazji do ucieczki.

Ucieczka uratowała mu życie. Kilka dni później niewygodny dla wycofujących się hitlerowców obóz został zlikwidowany, a wraz z nim wszyscy przebywający tam więźniowie.

– A spotkałeś Mutter? – pytała Alina.

– Tak, lecz pod koniec życia straciła zupełnie pamięć. Raz mnie brała za brata Alfreda, innym razem za księdza... Zresztą wkrótce umarła, we wrześniu...

Zofia spuściła wzrok. W dniu śmierci teściowej zginęła również Stanisława Mutter, lecz moja prababka wciąż omijała ten temat, nie chcąc do cierpień męża dokładać jeszcze bólu po stracie pierworodnego dziecka. Był zbyt słaby, by przeżyć ten cios.

Długo czekała na odpowiednią okazję, znajdując wciąż nowe wykręty i wymówki, by nie wyjawiać mu na razie całej prawdy o Stasi, jej mężu i adoratorze.

* * *

– To, co pani mi napisała o swojej ciotecznej babce, jest zadziwiające! Jak gotowy oscarowy screenplay! – krzyczał do słuchawki Peter Adamsky.

Musiałam przyznać, że tym razem prawnik Andrew zadzwonił o przyzwoitej porze i trzykrotnie upewniwszy się, iż nie przeszkadza, zaczął entuzjastycznie wypowiadać się o otrzymanym ode mnie liście.

Miałam też, niestety, nieodparte wrażenie, iż podejrzewał, że przynajmniej połowę zmyśliłam. Amerykanie, którzy przybyli do Europy po zwycięstwo, przywykli do zmyślania na potrzeby show biznesu mrożących krew w żyłach historii miłosno-wojennych. Nie widzieli w tym zresztą nic złego.

Postanowiłam jednak twardo bronić swojej prawdomówności.

– Ten screenplay, panie Adamsky, to...

– Peter, please, mów mi Peter!

– ...Zatem, panie Peter, ten screenplay, jak się pan był łaskaw wyrazić, to szczera prawda. I wcale nie taka przyjemna i ekscytująca, jak mogłoby się wydawać – warknęłam do słuchawki – bo nie jest miło mieć w rodzinie ofiarę morderstwa, choćby popełnionego z miłości!

Już miałam dodać, że przez tę całą historię do dwunastego roku życia, z obawy przed pojawieniem się ducha zamordowanej cioci Stasi, bałam się spać sama w naszym starym anielińskim domu. Ale ugryzłam się w język. Już i tak wystarczająco zdradzałam mu swoje tajemnice.

– Kiedy pan Andrew Szulc przyjedzie do Polski,

poproszę go, by w moim imieniu zabrał panią na kolację. Mając takich przodków i taki temperament, musi być pani fascynującą kobietą!

Już miałam odpowiedzieć Amerykaninowi, co myślę o takich uprzejmych propozycjach, ale połączenie z komórką Petera Adamsky'ego zostało nagle przerwane.

* * *

Pradziadek, mimo obaw rodziny, przeżył jakoś wiadomość o śmierci Stasi, twierdząc, iż zawsze podejrzewał, że wielka uroda w połączeniu z niewielkim rozsądkiem zgubi córkę. W głębi duszy czuł jednak dotkliwą stratę i tęsknił za Stasią, dawnymi czasami i ludźmi, których nic już nie wróci. Jego stały, wyrobiony przez Mutter system wartości upadł pierwszego września 1939 roku i nic nie wskazywało, by cokolwiek miało go wskrzesić. Tym bardziej nie mógł go ocalić zachwalany przez synową socjalizm, do którego Jürgen czuł organiczną wręcz niechęć.

Młode małżeństwo zamierzało w przyszłości wyprowadzić się do odbudowującej się Warszawy, i to również niepokoiło Jürgena. Nie miał już siły pracować w gospodarstwie, więc coraz częściej zastanawiali się z Zofią nad przyszłością. Bardzo prawdopodobne, że właśnie w trakcie takiej rozmowy pojawiła się Alina, aby oznajmić moim pradziadkom o rychłym pojawieniu się na świecie mojej mamy.
— Jestem w ciąży.

Zofia przełknęła ślinę. Już od pewnego czasu czekali na wnuki. Ich najstarsza córka nie mogła już im ich dać, a Tadeusz z żoną zwlekali z podjęciem decyzji. A Alina? Cóż, Alina mimo swoich dwudziestu pięciu lat nie spotykała się, jak dotąd, z żadnym mężczyzną. Kiedyś, przez krótki moment, Zofia zauważyła, jak spogląda na nią Dawid, lecz Alina potrafiła szybko rozwiać wątpliwości matki.

– Co ty mówisz, dziecko?! Może ci się coś pomyliło?

– Ależ, mamo, wiem, skąd się biorą dzieci, i na pewno się nie mylę. To pewne. Drugi miesiąc.

Jürgen opadł na fotel.

– To chyba dobrze, Zosiu, że Alinka da nam wnuka, prawda?

– Czuję, że to będzie dziewczynka – sprostowała spokojnym głosem Alina, a że intuicja rzadko myliła moją babkę, nikt nie protestował.

– Ale kto jest twoim tajemniczym narzeczonym?

– Nie mam narzeczonego.

– Jak to? – tym razem Zofia nie kryła zdumienia.

Młoda kobieta tylko wzruszyła ramionami, jakby oznajmiała coś najbardziej oczywistego na świecie.

– Zwyczajnie. Nie mam!

Zofia jeszcze kilka razy próbowała namówić córkę do zwierzeń, lecz Alina milczała jak zaklęta. Jej ciąża stała się tym samym głównym tematem spekulacji i dyskusji sąsiadów.

– A to numer! – śmiał się Tadeusz w rozmowach z żoną. – Moja starsza siostra cierpiała na nadmiar narzeczonych, a młodsza, choć ma mieć dziecko – nie ma żadnego!

– Alina jest nowoczesną kobietą, Tadziku, i nie boi się samodzielnego macierzyństwa, słusznie wierząc w pomoc ludowego państwa! – odpowiadała z przekonaniem Urszula.

Tadeusz uwielbiał ogień, z jakim go przekonywała do własnych poglądów. Było to dla niego jak zaproszenie do miłości, którą teraz uprawiali wprawdzie nieco rzadziej niż przed ślubem, ale ich namiętność wciąż jeszcze nie ostygła.

– Myślę, że i my powinniśmy posłuchać radiowych apeli demografów i zadbać o przyrost liczby obywateli.

„Przyrost liczby obywateli” – Tadek pomyślał, że uwielbia jej zabawny, niezrozumiały język, więc natychmiast chętnie zabrał się do spełnienia jej prośby.

– I jak, moja mała socjalistko, powiększymy liczebność Polski Ludowej czy nie? – pytał żonę, patrząc z zazdrością, jak wokół rosną ciężarne brzuchy wszystkich młodych kobiet, w tym jego siostry.

Urszula zaprzeczyła. Rozumiała potrzebę chwili. Naród wykończony wojną potrzebował nowych rąk do pracy. Sama zgłosiła się na kurs dla traktorzystek, w planach miała marzenia o udziale w odbudowie stolicy, a jednak wciąż czuła niedosyt. Gdyby jeszcze mogła przysłużyć się partii, dając jej synów tak silnych i pracowitych jak Tadek... Złościła ją też teściowa, zachęcająca do zaskarbienia sobie łask świętego Jerzego i zmarłej matki Jürgena. Prababka opowiadała Urszuli historię urodzin Stanisławy, zachęcając do poświęcenia pamięci Mutter imienia nienarodzonego.

– Co za niedorzeczne zabobony!!! – zżymała się na teściową. – Mam nazywać swoich synów Mutter?

– Sądzę, że to by pomogło, moje dziecko – odpowiadała niewzruszenie Zofia. – Nie należy lekceważyć pamięci zmarłych krewnych. Zawsze to powtarzam: Przyczyny tego, co ma się przydarzyć w przyszłości, trzeba szukać wyłącznie w przeszłości.

– Przydałoby się mamie trochę postępowości!

Urszula zerwała z szyi czerwoną chustę i spakowawszy stary, płócienny plecak, z którym przybyła do Anielina, rzuciła go pod drzwi obory. Tadeusz przerwał przerzucanie gnoju.

– Duszę się tu!

– Nic dziwnego – odparł Tadek. – Miastowi z reguły nie nawykli do gnoju. Idź lepiej do kurczaków.

– Ani do kurczaków, ani do świniaka, ani nigdzie! Dość już mam tej wsi, gdzie moja własna teściowa hołduje pogańskim zabobonom.

– Mamusia? – zdziwił się małżonek. – Skądże! Mamusia zawsze była bardzo religijna!

– A nie słyszałeś, że religia to opium dla mas?

– Eee... A co to właściwie jest to opium?

– To znaczy, że religia jest złem dla ludzi.

Tadek podrapał się brudną ręką po głowie.

– Nawet niewykluczone, chociaż jeszcze nigdy się nad tym nie zastanawiałem... Choć lepiej nie mów tego przy ojcach, bo wcale by im się to nie podobało.

– Spokojna głowa! Nic nie powiem, bo właśnie się wyprowadzam z tej ciemnej wsi do Warszawy.

Jak postanowiła, tak zrobiła. Zarzuciła plecak na ramię i powędrowała w stronę mostu, gdzie dwa razy dziennie przejeżdżał samochód w kierunku wschodnim.

Tadeusz wahał się cały tydzień, nim podążył jej śladem. Twierdził, że prawdziwemu mężczyźnie nie przystoi ulegać każdemu kaprysowi żony. Lecz widać siedem dni samotności i jedno spotkanie z Ryżą Mańką (dobrze znaną wszystkim kawalerom anielińską dziewczyną lekkich obyczajów) wydało mu się wystarczającą karą dla nieposłusznej żony – bo równo po tygodniu Tadek spakował walizki i ruszył w podróż życia: całe sto pięćdziesiąt kilometrów do stolicy Polski!

* * *

– Julia? – zapytał prawnik z charakterystycznym dla Amerykanów chrypieniem. Rozpoznałabym go nawet wtedy, gdyby się nie przedstawił.

„Peter Adamsky ma ładny głos". Przyznając się otwarcie do tego, że podoba mi się mężczyzna (choć właściwie tylko jego głos), poczułam się dziwnie nieswojo. Złapałam się na tym, że czekam na jego telefony, choćby były zupełnie o niczym. Poza tym zaczęłam się interesować sprawami do dziś całkiem dla mnie nieistotnymi: pogodą w Kalifornii, problemami prawników emigrantów oraz fauną i florą w Stanach Zjednoczonych. Wypożyczyłam nawet od Falbera książkę o USA, czym niezmiernie zdziwiłam mojego pracodawcę.

– Muszę ci się do czegoś przyznać. – Peter zwracał się do mnie bardzo bezpośrednio, co mi się oczywiście podobało.

– Taak?

– Chodzi o moje imię. Znalazłem w słowniku jego polską wymowę: Piot. Skoro pochodzę z Polski, chcę, żebyś tak mnie nazywała. Mów mi Piot!

– Okey, Piot! – zaśmiałam się.

– Znowu coś pokręciłem?

– Nie da się ukryć. Twoje imię to nie żaden Piot, ale Piotr, Piotrek, Piotruś...

Zawstydziłam się tej poufałości. Musiałam się zaczerwienić, więc ucieszyłam się, że prawnik Andrew nie widzi mnie w tej niezręcznej sytuacji.

– Ładnie. Chyba powinienem wziąć kilka lekcji polskiego.

Rozmawialiśmy, jakbyśmy się znali od bardzo dawna.

– Namawiam Andrew, żeby przyspieszył swój przyjazd do starego kraju – odezwał się po chwili milczenia. – Liczyłem, że weźmie mnie ze sobą, skoro tak dobrze idzie mi przyswajanie mowy przodków. Niestety, zamiast przyjechać osobiście, woli przysłać ci ekipę filmową. Technicy to jego drugie oko... Chyba powrót do domu nie jest łatwy nawet dla wielkiego Mr Szulca.

– A dla ciebie?

– Jestem optymistą.

Znowu się roześmiał. Rzeczywiście, musiał być optymistą.

Nazajutrz z biblioteki Jerzego Falbera wysłałam faks do Los Angeles z potwierdzeniem zaproszenia dla techników filmowych. Miałam zaadresować do Andrew, lecz w ostatniej chwili odruchowo napisałam nazwisko Petera. Piotr Adamski. Uśmiechnęłam się, bo wyglądało dziwnie swojsko.

* * *

Moją ulubioną opowieścią z dzieciństwa była historia o tym, jak święty Jerzy pod postacią jelenia uratował czteroletnią Małgorzatę z pożaru lasu.

Trwało właśnie nabożeństwo majowe, a ksiądz w uniesieniu odśpiewywał Ojcze Nasz. Bardzo lubił tę modlitwę, bo skierowana była bezpośrednio do samego Najwyższego, bez pośredników. Był dokładnie przy słowach: „Przyjdź królestwo Twoje", gdy gwałtownie zamilkł.

Przysypiający parafianie ocknęli się, zaciekawieni, cóż to niezwykłego mogło przerwać proboszczowi. Jeśli byli wśród nich tacy, którzy oczekiwali prawdziwego cudu – nie zawiedli się ani trochę.

Do kościoła wkroczył najprawdziwszy jeleń. Wszedł majestatycznie i nie oglądając się na boki, kierował się wprost do ołtarza.

Ksiądz, z racji wykonywanej mszalnej posługi, stał przodem do głównych drzwi, więc jako pierwszy dostrzegł to niezwykłe zjawisko. Ogromne poroże unosiło się z każdym oddechem olbrzyma. Teraz widzieli go wszyscy. Zapanowała grobowa cisza, tak że przez dobrą chwilę mogło się wydawać, iż spośród wszystkich żywych stworzeń zgromadzonych w kościele tylko jeleń ma odwagę oddychać.

Ksiądz opadł na kolana.

– Bóg daje mi znak...

Ludzie przeżegnali się żarliwie, nikt bowiem nie miał wątpliwości, iż na ich oczach dzieją się rzeczy niezwykłe.

Proboszcz jak zaczarowany pochylił czoło przed pyskiem zwierzęcia.

– Powiedz, Panie, tylko słowo, a będzie uzdrowiona dusza moja – szeptał z przejęciem.

Zamiast jelenia odezwała się prababka. W czasie owej pamiętnej mszy siedziała w swojej ulubionej czwartej ławce i nie miała wątpliwości, o co w tym wszystkim chodzi.

– Niech ksiądz nie będzie zabobonny! To przecież święty Jerzy, proszę księdza, i przyszedł do mnie, nie do proboszcza. Nic na to nie poradzę, ale zawsze mi się tak ukazuje. Jako jeleń.

Najwidoczniej Zofia i tym razem się nie myliła, bo jeleń (najwidoczniej zadowolony, że został rozpoznany) skłonił lekko swój wielki łeb przed ołtarzem i odwróciwszy się, wyszedł z kościoła. A za nim prababka i inni parafianie. W kościele pozostał jedynie zdziwiony i zawiedziony ksiądz.

Jakie było zaskoczenie ludzi, kiedy na zewnątrz nie dostrzegli śladu olbrzyma. Zamiast zwierzęcia zobaczyli natomiast kłąb czarnego dymu unoszącego się złowrogo nad lasem. Las płonął dokładnie tam, gdzie Jürgen zwykł zabierać wnuczkę na jagody.

– Małgosia! – wrzasnęła Zofia. – I Jürgen w lesie! Była pewna, że jej najbliżsi zostali uwięzieni w pożarze, przecież święty Jerzy nie robiłby sobie z niej żartów! Strach pomyśleć, co by się stało z Jürgenem i jego wnuczką, gdyby ludzie błyskawicznie nie pospieszyli do lasu z pomocą.

W ten sposób świat cudów ponownie wkroczył w życie mojej rodziny.

* * *

Falber z uporem twierdził, zagryzając chlebem śledzia w śmietanie, że nigdy nie należy drwić z cudów. Oczywiście, mógł tak mówić, bo był pisarzem, a tym, podobnie jak dzieciom i szaleńcom, wolno powoływać do życia duchy, anioły i demony.

Natomiast Alina, w której spojrzeniu gościł dziś dawno zapomniany młodzieńczy błysk, zgadzała się z nim całkowicie.

Choinka migotała światełkami, a wokół panowała sielska atmosfera, jaka dorosłym nieodmiennie kojarzy się z dzieciństwem. Pachniał bigos, pierogi z grzybami i czerwone wino z jeżyn. Nawet śnieg spadł jak na zawołanie, choć przez ostatnie kilka lat zmienny, środkowoeuropejski klimat fundował nam rokrocznie w okresie Bożego Narodzenia marznący deszcz.

– Dziękuję, że mnie pani tu zaprosiła, Julio... – szepnął Falber, gdy po uroczystej kolacji nachylałam się nad zlewem pełnym talerzy i filiżanek. –

Pani babcia jest aniołem. Takie bogactwo wspomnień i przeżyć! Myślę sobie, że właściwie to ona powinna być pisarzem, nie ja. Spotkanie pełnokrwistej kobiety w moim wieku zakrawa na prawdziwy cud!

– Ach tak? – z trudem powstrzymywałam się, by nie parsknąć śmiechem. Więc to, a nie opowieść o jeleniu, miał na myśli, mówiąc o cudach.

Przyniosłam kolorową, świąteczną kartkę od ojca i Gerty. Zapewniali, iż urna z mamusią ma się znakomicie. Co więcej, przyzwyczaili się do niej na tyle, że rozstanie z nią (które zaproponowałam w przedświątecznym odruchu serca) nie wchodzi w grę. Żona taty najwidoczniej uznała fakt „przygarnięcia" pierwszej małżonki za niezwykle wzniosły i oryginalny, a więc przykuwający uwagę otoczenia. A z tym ostatnim Gerta bardzo się liczyła.

– Twój ojciec zawsze miał oryginalny gust, jeśli chodzi o kobiety – westchnęła ciężko babcia, nakładając pisarzowi kolejny kawałek szarlotki z rodzynkami.

* * *

Alina stała przy oknie i patrzyła na blade promienie wschodzącego słońca. Nie zmrużyła oka, czekając na wyjazd Wołodii. Spał jeszcze obok bezlitośnie tykającego budzika, lecz ból Aliny był większy, niż gdyby go w ogóle nie było przy niej.

– Włodimir... – urwała, bojąc się poprosić, by został dłużej niż na jedną noc. Zamiast tego stwierdziła spokojnie: – To, co robicie, jest niebezpieczne. Nie może się udać.

– Wy, kobiety, zawsze bałyście się ryzyka, ale tak widać musi być – śpiewnemu akcentowi człowieka ze wschodu towarzyszył zniewalający uśmiech. – Ty tyle razy nie wierzyła, że wrócę, i jestem u ciebie w każdy drugi miesiąc od czterech lat...

– Od pięciu.

– Sama widzisz!

„Widzisz" w jego ustach zabrzmiało jak rosyjskie „widisz" i Alina uśmiechnęła się smutno.

– Nie w smak mi brak wolności – roześmiał się Wołodia i pochwycił gitarę.

Alina nie wiedziała, czy ma na myśli terror stalinizmu, z którym walczyła jego organizacja, czy stały związek z nią.

– Przygotujemy dla nas lepszy świat. Dla ciebie, słoneczko, i dla naszej Małgosi.

Alina z powątpiewaniem pokiwała głową.

– Trzeba być takim idealistą jak ty, żeby uwierzyć, iż kilku biedaków zmieni losy świata. Za wiele było w naszej części świata rewolucji, aby ktokolwiek jeszcze miał je brać poważnie. Nie macie ani wpływów, ani pieniędzy, a społeczeństwo ma was za głupków!

Alina chciała dodać, że mimo to go kocha i gotowa jest czekać na niego do końca ich świata, jakikolwiek by był. Nie odezwała się jednak. Kobieta rewolucjonisty musi znosić cierpienie w milczeniu.

– Tacy jak ja nie mają wyjścia. Należę do straconego pokolenia, które powinno zginąć na wojnie, by oddać tę planetę innym, niezbrukanym krwią ludziom.

Alina przycisnęła jego rękę do ust tak silnie, że poczuła na wargach twardość kostek palców Włodimira.

– Nie chcę nawet wiedzieć, czy masz rację.

Wstał z łóżka. Stał teraz zupełnie nagi, tak wysoki, że przyciskając Alinę do siebie, miał jej głowę na wysokości piersi.

– Jest bardzo późno. Muszę już iść!

Pocałowali się po raz ostatni, gdy odjeżdżająca na wschód ciężarówka z owcami zatrąbiła ponaglająco na mężczyznę z gitarą.

– Czy to on? – Zofia okryła szalem marznącą w jesiennej rosie Alinę.

– On.

– Małgosia wie?

Alina zaprzeczyła:

– Lepiej, gdyby nie wiedziała...

Zofia spojrzała w ślad za Aliną na pustą drogę i westchnęła głośno, zastanawiając się, czemu jej córki skazane były na miłość do niewłaściwych mężczyzn.

* * *

Postęp wkroczył do Anielina pierwszego marca tysiąc dziewięćset pięćdziesiątego drugiego roku wraz z osobą Jakuba Górala – mechanizatora rolnictwa. Miał trzydzieści lat i cieszył się opinią pogromcy serc niewieścich. Przeprowadził mechanizację już około tuzina gmin i w każdej z nich pozostawił mniej więcej drugie tyle uwiedzionych panien, mężatek i wdów.

O dziwo, sława, która szła w ślad za nim, bardzo dobrze mu służyła, bo w każdej kolejnej wiosce przybywało zaciekawionych wielbicielek. A każda z nich chciała się na własnej skórze przekonać, ile warta jest zła opinia o Jakubie Góralu.

Często zresztą rzeczywiście przekonywała się o niej „na własnej skórze", gdy zazdrosny małżonek kijem wybijał nierządnicy grzeszne westchnienia ku mechanizatorowi. Wszystko to, ma się rozumieć, tylko umacniało pozycję Jakuba.

Anielin był kolejną wioską na jego drodze ku sławie, zabawie i uciechom życia. Jakub Góral dziwił się więc wszystkim, którzy w przeciwieństwie do niego nie pojęli, na czym polega sens życia, i dali się omotać sztywnym pętom konwenansu, religii i obyczaju. Dziwił się mężczyznom, którzy w obawie przed gniewem żony odmawiali kolejnego kielicha, i kobietom, które nie rozumiały, że obowiązują ich takie same cudowne prawa zwierząt, jak wszystkie boskie stworzenia na tej planecie, a zamiast tego domagały się przysięgi przed księdzem lub chociaż ślubu w magistracie.

Dmuchnął papierosowy dym przed siebie, nie bacząc na bliskość swojej rozmówczyni.

– Ucieknijmy razem! – zaklinała go siedząca naprzeciwko jego biurka kobieta. Zdaje się, że miała męża, którego poza dojeniem krów niewiele obchodziło, a teraz zainteresowanie Jakuba odczytywała jako wyraz najprawdziwszej miłości.

– Nie mogę. – Nie miał czasu, by się tłumaczyć. – Idź już, jestem w pracy!

– Do zobaczenia, Kubusiu!

– Do zobaczenia.

Jakub Góral pospiesznie zamknął drzwi, by w spokoju kontynuować obserwowanie przez okno szkolnego dziedzińca. Do tej pory widok rozbrykanej dziatwy mógł go jedynie irytować, lecz teraz cieszył się, że przypadł mu pokój z takim właśnie widokiem. A to za sprawą nauczycielki. Wiedział, iż ma na imię Alina i że samotnie wychowuje dziecko. Jej siostra była podobno zjawiskowo piękna i początkowo nawet żałował, że nie będzie mógł poznać dziewczyny, która stała się we wsi legendą.

– Pasowalibyśmy do siebie! – oznajmił kiedyś w gospodzie. – Ona – Helena Trojańska, ja – Casanova...

Alina początkowo wydała mu się zamknięta w sobie i niedostępna. Później coraz dotkliwiej odczuwał ostentacyjny brak zainteresowania nauczycielki swą osobą.

Kiedyś w trakcie całonocnej pijatyki stwierdził, iż jej nie lubi i nie dziwi się, że osoba tak zimna i wyniosła została starą panną z dzieckiem. Później bardzo się tego wstydził i posyłał nauczycielce kwiaty, lecz ona wciąż milczała.

– Dlaczego nie przyjmuje pani moich kwiatów?! – zawołał wczoraj z okna, kiedy Alina bawiła się z dziećmi na dziedzińcu.

– Nie lubię ciętych kwiatów.

– Nie lubi pani kwiatów?!

– Nie lubię kwiatów umierających w wazonie, jeśli jest pan w stanie to pojąć – odpowiedziała.

Jakub Góral z niepokojem zauważył, że próżno było w jej głosie szukać choćby śladu kokieterii, tak powszechnej u innych kobiet. Poczuł się dotknięty niczym nieusprawiedliwioną obojętnością wiejskiej nauczycielki.

– Jeśli kwiaty mają duszę, to może nawet mają jej w sobie więcej niż pani.

– Być może – odparła Alina.

– Mówi to pani ot, tak?! Czy pani dusza też umarła w wazonie?

– Niekoniecznie. – Alina spojrzała na wschód, skąd od pół roku bezskutecznie wypatrywała Wołodii.

– A może zginęła na wojnie?

– Może.

Alina pomyślała przez chwilę o Dawidzie Hamanie, lecz nie dała się wciągnąć w dyskusję z tym dziwnym, megalomańskim człowiekiem, za jakiego uważała mechanizatora. Podniosła rękę do góry, dając rozbieganej dzieciarni znak końca przerwy, i wróciła do szkoły.

Jakub jeszcze długo stał w oknie. Jego serce mocno biło. Jeszcze nigdy nie rozmawiał tak z żadną kobietą. Nauczycielka była inteligentna i ładna oraz miała w sobie coś... elektryzującego. Coś, czego do końca nie potrafił określić, lecz był przekonany, że właśnie to powodowało niepokojące zmiany w jego organizmie.

Jakub Góral zgłosił się do lekarza, skarżąc się na ból serca, chroniczną bezsenność i brak apetytu. Jego wielbicielki podejrzewały, iż ktoś w zazdrości rzucił na niego najprawdziwszy zły urok, ale mechanizator przypuszczał, że stało się coś o wiele, wiele gorszego: on, pogromca serc, pierwszy uwodziciel i hedonista – zakochał się. Na zabój!

Kiedy mężczyzna idzie błagać wybrankę serca, żeby zechciała zostać jego żoną, wręcza jej bukiet kwiatów. Jakub Góral był jednak na tyle przezorny, że po raz drugi nie popełnił błędu i do rozmowy z nauczycielką przygotował się nadzwyczaj starannie.

W niedzielę, drugiego dnia świąt Bożego Narodzenia, zjawił się elegancko ubrany przed domem Aliny. W jednym ręku trzymał największą lalkę, jaką udało mu się dostać, na drugim... psa.

Rozradowana Małgosia pochwyciła prezenty:

– Wujek dał nam Bobika! I lalkę!

Alina bezradnie opuściła ręce.

– Ładny pies...

– Wiedziałem, że będzie się pani podobał. Foksterier. Nazwałem go Bobik, ale pani może go przechrzcić. Na pewno wymyśli pani coś bardziej wyszukanego.

– Może zostać Bobik.

– Naprawdę? – ucieszył się Jakub.

Mężczyzna z niepokojem patrzył jej w oczy. Był w tym spojrzeniu taki żar, że Alina skapitulowała.

– Niech pan wejdzie. Przez otwarte drzwi wpada zimno.

– Dziękuję.

– Nie ma za co. Powinien już się pan domyślić, że nie mam panu zbyt wiele do zaoferowania.

– To może chociaż herbatę? – zapytał, rozcierając zmarznięte ręce.

– Oczywiście. Jestem kiepską gospodynią. – Alina roześmiała się i mechanizator z radością zauważył, że robi to niezwykle ładnie.

Odczekał, aż Małgosia położy się do łóżka, aby zapytać Alinę:

– Czy jest powód, dla którego nie możemy być razem?

– Tak – odpowiedziała z ociąganiem. – To chyba jasne.

Nie, wcale nie było jasne. Nie doczekał się jednak odpowiedzi. Alina odgradzała go od siebie murem milczenia.

– Jeśli pozwolisz – powiedział, kiedy zamykała za nim drzwi – przyjdę odwiedzić Bobika. Psina pewnie myśli, że ty jesteś jego panią, a ja jego panem. To trochę tak, jakbyśmy byli rodziną tego niewinnego stworzenia. Więc po co pozbawiać go złudzeń, że świat nie jest idealny?

Zamiast odpowiedzi posłała mu uśmiech. Drugi uśmiech tego wieczoru. Może więc jednak świat jest doskonały?

Śnieg tajał, a serce Aliny pozostawało dla Jakuba zamkniętą komnatą tajemnic. Starał się wrócić do dawnych rozrywek, flirtować z dziewczętami, lecz nic nie przynosiło mu tak upragnionego spokoju duszy. Codziennie stawał przed lustrem i pytał sam siebie, co się stało z jego dawną beztroską. Odpowiedzi jednak nie było.

W końcu zrozumiał, że aby zdobyć pierwszą kobietę, która go odrzuciła, musi poznać jej tajemnicę.

Stało się to zaraz po Trzech Królach. Włodimir przyjechał do Anielina samochodem – jak zwykle – ciemną nocą.

– To twój samochód? – zapytała Alina, kiedy udało im się upchnąć bmw w stodole.

– Maszina? – Wołodia ściągnął gruby kożuch. – Nie za wiele chcesz wiedzieć, moja miła? Wy, kobiety, tylko pytacie i pytacie, a tajemnice to męska rzecz.

Alina milczała.

– Nu – Włodimir próbował objąć ją wpół. – Ja nie skazał, że ty w ogóle masz nic nie mówić. Stęskniłem się za tobą.

– Dlaczego powiedziałeś: „wy, kobiety"? Jakie jeszcze kobiety miałeś na myśli?

– Tak powiedziałem?

Wołodia zmrużył swoje ogromne, rosyjskie oczy, które kiedyś tak urzekły Alinę. Jego głos nie zabrzmiał szczerze.

– Nie było cię tak długo, że nie wiem już, co myśleć. Zmieniłeś się. Pojawiasz się i znikasz, kiedy masz na to ochotę. Masz pieniądze i samochód, choć kiedyś żyłeś jak żebrak. Więc to chyba zrozumiałe, że pragnę wyjaśnień.

– Czy szpieg, czy marynarz, czy rewolucjonista

to takie zawody, w których mężczyzna musi budować sobie własne porty. Nigdy nie wiadomo, kiedy człowiek zginie...

Alina wyszarpnęła się z objęć Wołodii.

– Wszystkim to powtarzasz? Włodimir, ale my mamy dziecko!!! Córkę, która cię nie zna.

– Pozna. Oczywiście, że przyjdzie czas, kiedy pozna – uspokajał ją, lecz w jego słowach można było wyczuć rozdrażnienie. – Widzę, że kupiłaś jej psa. Mądry wybór! U nas się mawia, że sobaka to najlepszy przyjaciel.

Ramiona kobiety opadły bezradnie.

– Ostatnio zapytała mnie, czy mogłaby mówić do człowieka, który podarował nam tego psa: tato. Rozumiesz? Tato – do obcego mężczyzny!!! Za to tylko, że okazał jej swoje zainteresowanie.

– Oczywiście zabroniłaś?

– Czy ty w ogóle rozumiesz, o czym mówię?! Tak długo byłam samotna i... – Alina próbowała coś wyjaśnić.

Wołodia nie pozwolił jej dokończyć, zamykając usta mocnym pocałunkiem.

– Zaraz wyleczę twoją samotność.

Zbyt gwałtowne leczenie głębokich ran boli bardziej niż pozostawianie ich samym sobie. Po miłości Wołodia sięgnął do kredensu po flaszkę wódki schowaną na specjalne okazje.

– Mogę ci coś wyznać, jeśli chcesz.

Kobieta nie była pewna, czy jest w stanie znieść kolejne wyznania ekscentrycznego kochanka.

– Widzisz, Alinko. – Wołodia nigdy nie krępował się chodzić nago po jej mieszkaniu i nawet teraz, w środku zimy, czynił to bardzo chętnie. – Zostałem kimś w rodzaju szpiega. No, może niedokładnie, ale coś w tym rodzaju.

Alina szybko się ubrała, kryjąc się za szafą. Zawsze tak robiła, kiedy nie udało jej się nawiązać z Wołodią bliższych relacji. Tworzyła w ten sposób dystans chroniący ją przed zranieniem.

– Słyszysz? – upewnił się mężczyzna. – Stąd i moje pieniądze. Jak widzisz, jestem w stosunku do ciebie bardzo szczery i tego samego wymagam od ciebie.

– Ja nie mam przed tobą tajemnic.

– Wiem, że moja tygrysica jest posłuszna swojemu panu. – Mówiąc to, Wołodia chwycił ją za szyję w taki sposób, jakby zakładał obrożę dzikiemu zwierzęciu.

Nigdy wcześniej tego nie robił. Wiele jego zachowań, w łóżku i poza nim, zaskoczyło Alinę. Jemu najwidoczniej sprawiało to przyjemność, lecz moja babka nie bez podstaw przypuszczała, iż zapewne był ktoś, kto przez ostatnie półrocze bawił się z Wołodią w tak wyrafinowany sposób.

– Chcę, żeby tygrysica szepnęła mi, z kim z partii ma powiązania jej bratowa. – Wołodia wymownie zazgrzytał zębami nad jej uchem.

Alina przeraziła się nie na żarty.

– Puść mnie, do licha, Wołodia!

– Cicho! Nie takiej odpowiedzi zażądał twój pan!

Teraz poważnie się wystraszyła. Nie dość, że jej

ukochany na dobre zwariował, to jeszcze w tej dziwacznej pozie mogła ich zobaczyć Małgosia.

– Wszystko powiem, jak mnie puścisz – wyszeptała Alina wiedziona instynktem, że z szaleńcami należy postępować łagodnie.

– Dzikie tygrysice kłamią. – Rosjanina zabawa rozochociła nie na żarty.

– Jestem łagodną tygrysicą – zapewniła babka, wstydząc się, że w obawie przed skręceniem karku musi wygadywać takie głupstwa.

– A zatem? – Pogromca dzikich zwierząt zwolnił uścisk.

Alina rozcierała obolałą szyję. Z wrażenia zapomniała, o co właściwie pytał Wołodia.

– Opowiedz mi o swojej bratowej! Wszystko!

– Ula mieszka w Warszawie. Nic więcej nie wiem.

– Jest znaną partyjną działaczką. Poważaną. Chyba wiele może, tym bardziej że jest kobietą. – Mówiąc to, sięgnął ręką w stronę biustu Aliny, lecz ta błyskawicznie odskoczyła.

Pomyśleć tylko, że do niedawna uważała Włodimira za najbardziej romantycznego mężczyznę, jakiego spotkała w życiu!

– Możliwe, ale nie byłam u nich ani razu. Pracuję, w wakacje pomagam rodzicom przy żniwach, są już bardzo starzy... Nie mam czasu na podróże.

– Pewnie, pewnie, muszę cię kiedyś gdzieś zabrać – zapewnił pospiesznie. – Ale teraz musisz dowiedzieć się czegoś więcej. Zostanę do jutra, a ty zasięgniesz informacji, od kogo się da.

– Nie możesz tu zostać! Ktoś może cię nakryć. –

Alina przeraziła się perspektywą kolejnego dnia z pogromcą zwierząt.

– Nie bój się, malutka. – Wołodia sięgnął do kieszeni kożucha, z której wyciągnął dwa nowiutkie pistolety. – Niech tu tylko ktoś przyjdzie, a nie wyjdzie prędko.

Przebłagawszy Wołodię, by zgodził się przynajmniej w dzień przykryć swoją nagość, Alina poszła oswoić córkę z niespodziewanym gościem.

Zachowanie Rosjanina w biały dzień kompletnie zaskoczyło Alinę. Wołodia najpierw grał na gitarze smętne ballady, potem wysłał ją po wódkę, a wypiwszy ćwiarteczkę, postanowił się wykąpać w wyrąbanym w stawie przeręblu. Pozostałą w butelce ćwiartkę wziął ze sobą.

– Ot, rosyjska fantazja! – uspokoiła córkę, zdziwioną pomysłami nieznanego pana.

Alina odetchnęła z ulgą. Wreszcie miała kilka godzin do namysłu.

Zapadł zmierzch, a później wieczór. Wołodia nie wracał. Alina zaczęła się niepokoić, a jej troskę pogłębiały wspomnienia wielu wspaniałych chwil spędzonych niegdyś z rosyjskim kochankiem.

– Zostań w domu! – nakazała Małgosi, a sama udała się na poszukiwania.

Przechodząc koło stawu, usłyszała ujadanie Bobika. Zapaliła latarkę. Bobik stał nad przeręblem, a obok leżała opróżniona flaszka. W wodzie kołysał się na wpół zamarznięty szpieg.

Alina zaklęła siarczyście i zrzuciwszy płaszcz, zaczęła się mocować z ciałem kochanka. Wołodia był kompletnie nagi i już nie żył. Cudem wyciągnąwszy go na brzeg, położyła obok niego butelkę po wódce.

– Ładna śmierć dla ojca mojego dziecka, nie ma co! – Alina usiłowała osuszyć ręce w rękawach płaszcza.

Bobik, nie zdając sobie zupełnie sprawy z powagi sytuacji, radośnie merdał ogonem.

Być może pomysł poproszenia o pomoc Jakuba Górala wpadł jej do głowy na widok podarowanego psa, a być może istniał jeszcze inny powód, w każdym razie pierwszym domem, do jakiego zapukała Alina, była kwatera mechanizatora.

– Musisz mi pomóc – wysapała zmęczona.

Jej wygląd musiał mówić sam za siebie, bo mężczyzna nawet nie zapytał o powód nocnej wizyty.

Nad ranem znikły wszystkie ślady bytności Włodimira w Anielinie. Oczywiście łącznie z jego ciałem. Następnej nocy pradziadek Jürgen wraz z mechanizatorem rolnictwa zatopili w bagnie czarne bmw.

Tym samym zakopany w przykościelnym bagnie majątek mojej rodziny obok samolotu powiększył się o luksusowe bmw Włodimira.

– Na czarną godzinę po odkopaniu jak znalazł! – pocieszali się Jürgen z Jakubem Góralem, nie mogąc, jak to mężczyźni, odżałować straty pięknej maszyny.

*

Od tego czasu życie znowu wróciło do normy.

– Nie powinnam się wiązać z żadnym mężczyzną! – zapierała się Alina, kiedy tylko Jakub pytał o ich przyszłość. – Dwa razy się zakochałam i obaj moi ukochani zginęli tragicznie.

Bobik ocierał się o nogi swojej pani, prosząc o pozwolenie wejścia na kanapę. Alina podniosła psa i położyła obok siebie.

– Zdaje się, że nie ma czego żałować – żartowała Zofia, która po aferze z Wołodią szczerze polubiła zaradnego mechanizatora rolnictwa. – Do trzech razy sztuka, córuś!

– Nie chcę, aby Kuba skończył tragicznie. A najlepszym dla niego sposobem na dożycie czterdziestki jest trzymanie się ode mnie z daleka.

– Wyjdź za mąż, to może skończy się ten twój panieński pech – odezwał się Jürgen.

Ojciec ostatnio niedomagał, a wycieńczenie obozem szczególnie dawało mu się we znaki każdej wiosny na przednówku. Czasami myśleli, że może być ona ostatnią w jego życiu. Latem znowu wracał jednak do zdrowia i, ku zdziwieniu wszystkich, na równi z młodymi stawał do żniw.

Coraz częściej też wracał myślami do latania i swojego aeroplanu spoczywającego w bagnie. Zimowa przygoda z bmw Wołodii tylko pogłębiła jego tęsknotę za podniebnym lataniem. Rozmawiał o tym z mechanizatorem, pokazywał mu książki i czasopisma lotnicze, a Jakub uważnie go wysłuchiwał.

– Chciałabym, aby ojciec był szczęśliwy – powtarzała Alina, kiedy zostawali sami.

– Jest – zapewniał Jakub. – A jego marzenia są bardzo piękne.

– Szkoda tylko, że niespełnialne...

Jakub Góral tylko drapał się w głowę.

– Kto wie, kto wie... Skoro moje się spełniło...

* * *

Kiedy stało się jasne, że Jürgen może nie dożyć następnej zimy, bo jego płuca trawi zaawansowany rak, Kuba zaczął znikać na całe popołudnia. Wszyscy się temu niezmiernie dziwili, wiadomo było bowiem, że lubi spędzać czas w towarzystwie Jürgena, a jeszcze bardziej Aliny.

Przypuszczenia, że powrócił do dawnego trybu życia, również się nie potwierdziły, bo od dawna nie widziano go w gospodzie.

Czasem pojawiał się nagle na krótko, zadowolony albo zniechęcony, lecz zawsze bardzo zmęczony.

Tajemnica Jakuba Górala rozwiała się pewnej letniej soboty, kiedy zabrał na wycieczkę Jürgena z Zofią, Aliną i Małgosią. Zaprowadził ich na wielkie państwowe pole, kazał stanąć pod wielkim stogiem siana i patrzeć.

Zrobili tak, jak im kazał, wierząc, że jego podniecenie i uprzednie dziwne zachowanie mają coś wspólnego z bardzo niezdrowym letnim przegrzaniem, przed którym lekarze przestrzegali nawet przez radio.

Jakież było ich zdziwienie, kiedy spod stogu wyłonił się niemiecki dwupłatowiec z czasów pierwszej wojny światowej.

– Odkopałem! – Jakub pęczniał z dumy. – I wyremontowałem według niemieckich książek.

– Odkopałeś samolot ojca?! – wykrzyknęła po dobrych kilku minutach Alina. – Z bagna?!

– Ma się rozumieć, że z bagna. Świetnie zakonserwowany! Pan Jürgen wskazał mi, co i jak, resztę dopowiedzieli miejscowi...

Jürgen stał i płakał. Stary, schorowany człowiek, któremu nieoczekiwanie spełniło się najpiękniejsze marzenie.

– Dziękuję, synu! Teraz będę mógł umrzeć.

Następnego dnia o świcie, kiedy wszyscy szykowali się do kościoła na poranną niedzielną mszę, Jürgen pożegnał się z rodziną i najbliższymi. Włożył garnitur, przygotowany zawczasu przez prababkę „na czarną godzinę", i najlepsze buty (nigdy nieużywane z tego samego co poprzednio powodu). Na posiwiałą głowę naciągnął starą pilotkę, a do kieszeni włożył zdjęcia wykonane przez wędrownego fotografa Antka Szulca, przedstawiające całą naszą rodzinę w komplecie – naturalnie ze Stanisławą Mutter na pierwszym planie.

Jürgen uśmiechnął się.

– Zabiorę je sobie do nieba.

Na koniec, siedząc w dwupłatowcu, pomachał nam na pożegnanie ręką.

– Żegnajcie! – krzyknął, a potem dodał do Zofii: – Miałem szczęście, że to na twoim dachu wylądowałem, Kwiatuszku!

Powiedziawszy to, wzbił się w niebo lekko, niczym ptak.

Babcia Alina nie zapamiętała ani dźwięku obracających się śmigieł, ani ryku silnika. W pamięci pozostał jej jedynie widok ojca odlatującego daleko, hen na zachód, skąd przybył prawie czterdzieści lat temu, by na zawsze zmienić życie Zofii i dać początek naszej rodzinie.

Mam nadzieję, że nim spadł, leciał jeszcze daleko, bardzo daleko, może nawet do samego nieba, jak z niezbitą pewnością twierdziła Zofia.

Sądząc po tym, że w przeczuciach dotyczących swojego męża nigdy się nie myliła, jest to bardzo prawdopodobne...

* * *

Miłość do lotnictwa w rodzinie Pruskich dziedziczyło się z pokolenia na pokolenie. Do tej pory, kiedy patrzę na samolot rozdzierający białą wstęgą błękitny parasol nieba, czuję mrowienie w okolicy łopatek. Huk silników na chwilę przed startem jest dla mnie najpiękniejszym dźwiękiem.

Od pół godziny czekałam na samolot wyczarterowany przez ludzi Andrew. Przyszłam specjalnie nieco wcześniej, by rozejrzeć się po lotnisku. Nie działo się jednak zbyt wiele. Rejsowy samolot z Warszawy odleciał dwie godziny temu, a od tego czasu wzbiły się w niebo zaledwie dwie motolotnie.

Samolot wynajęty we Frankfurcie przyleciał nieco

przed czasem. Przyznaję, że spodziewałam się raczej maleństwa pokroju wilgi, a tu wylądował całkiem spory boeing. Jak na sportowe lotnisko na Lublinku było to niemałe wydarzenie. Zauważyły to okoliczne dzieci, które porzuciły rowery i przywarły umorusanymi twarzami do siatki odgradzającej aeroklub od pól.

Stałam samotnie na tarasiku dla gości i przyglądałam się, jak z ładowni boeinga kolejno wyciągają czarne skrzynki ze sprzętem operatorskim i oświetleniowym. Pilot rozmawiał z kimś przez telefon komórkowy, a pozostali trzej mężczyźni żartowali i przeciągali się na płycie lotniska. Czuli się niezwykle swobodnie.

– Ach, ci cudzoziemcy! – westchnęłam. – Są tu pierwszy raz, a już zachowują się jak u siebie w domu.

Szczerze mówiąc, zazdrościłam im trochę tej całkiem egzotycznej dla przeciętnego Polaka umiejętności.

Wczoraj przez kuriera dostałam angaż z wytwórni pracującej dla Andrew na regionalnego menedżera produkcji filmowej. Zupełnie nie rozumiałam, co to oznacza, ale ucieszyłam się, że będę zarabiać pięćset dolarów tygodniowo. W porównaniu z moją pensją to prawdziwa fortuna!

Chętnie pochwaliłabym się nią przed znajomymi, lecz miałam świadomość, iż po pierwszym tygodniu hollywoodzkie eldorado musi się dla mnie źle skończyć. Nie łudźmy się: o produkcji filmowej miałam mniej niż blade pojęcie, nie zniosłabym zaś litościwych spojrzeń, że tak szybko Kalifornijczycy poznali się na moich menedżerskich umiejętnościach.

Na razie jednak pisarz dał mi tydzień urlopu, a ja miałam przyjąć ekipę, która będzie się rozglądać za plenerami do zdjęć próbnych. To było w miarę proste. Zamówię taksówkę, ulokuję Amerykanów w hotelach, dam im mapę okolicy, zainkasuję pierwszą pięćsetkę, a później wyjaśnię, że się do tego nie nadaję. I tyle.

Wzięłam głęboki oddech i zeszłam do przedstawicieli Świata Snów, których duch pamięci pięknej ciotecznej babki zesłał zza oceanu wprost na moją głowę.

Następnego dnia filmowcy postanowili wstać o piątej rano. Przezornie postanowiłam dostosować się do warunków Amerykanów. Wyszło mi to na dobre, bo kiedy około siódmej znaleźli mnie drzemiącą w hotelowym hallu, stwierdzili zgodnie, że jeszcze nie spotkali w tej branży tak punktualnego menedżera.

— Może pojedziemy na grób Stanisławy? — zaproponowałam, świadoma, że od czegoś należy rozpocząć naszą współpracę.

— No, no — pokręcił głową dyrektor planu. — Groby są zbyt smutne, my chcemy opowiedzieć historię Sisi bardziej sexy.

— Sexy?

— Owszem — potwierdził scenarzysta. — Erotyka ożywi każdy dokument. — Spojrzał na moje spodnie. – Czy Sisi była trochę podobna do ciebie? Pytam, bo masz ładne biodra. Yeah... – Mężczyzna oglądał mnie, jakbym była klaczą wystawioną na sprzedaż. – Piersi też niezłe. Poprawiane?

Skrzywiłam się. Bądź co bądź nie przywykłam do tego rodzaju współpracy.

– No, wie pan?! – oburzyłam się.

– Zatem nie? To znakomicie! Geny to ważna rzecz.

Ci obcokrajowcy byli doprawdy zdumiewający! Zaczęłam obawiać się nie na żarty, że Peter Adamsky po bliższym poznaniu może okazać się równie dociekliwy.

– Mike pyta – wyjaśnił trzeci z Amerykanów, zapewne operator – po to, żeby ustalić prawdę historyczną o Stanisławie.

Zdziwiłam się, że Amerykanie ustalają prawdę historyczną na podstawie rozmiaru mojego biustu. Mike pospieszył z wyjaśnieniami:

– Obserwując panią, Miss Julia, możemy wysnuć wnioski dotyczące warunków kształtujących romans tych dwóch, poniekąd już historycznych i wielkich postaci: Andrew Szulca, wielkiego amerykańskiego artysty, i Sisi – bohaterki wojennej. Wielki temat! Wielki temat!

Oniemiałam. Gdyby nie pięćset dolarów w kieszeni, wyjaśniłabym zapewne, co sądzę zarówno o amerykańskim artyście, jak i bohaterstwie mojej ciotki, a tak wydusiłam z siebie krótkie: „zapewne wie pan, co pan robi", i pocieszałam się w duchu, że istotnie może tak być.

– Zróbmy kilka zdjęć Miss Julii! – zaproponował operator, kiedy skończyliśmy oglądać pamiątki rodzinne. – To lepsze niż jeździć na jakiś cmentarz.

– Nic z tego, jestem menedżerem! – zaparłam się nie na żarty.

Widocznie mój protest został odebrany całkiem jednoznacznie, bo po krótkiej naradzie Mike uśmiechnął się do mnie z uznaniem.

– Of course, Miss Julia, za zdjęcia osobna zapłata.

Przełknęłam ślinę i milczałam, by nie powiedzieć czegoś głupiego.

– Dwieście dollars za dzień zdjęciowy.

– Okey! – zgodziłam się natychmiast. – Ze względu na pamięć mojej ciotki, hm, bohaterki wojennej, nie wyrażam jednak zgody na zdjęcia rozbierane.

Przyjęłam szacowną minę żałobnicy, a oni moją propozycję. Interes został ubity.

„Oczywiście – przysięgłam w duchu – ani słowa panu Jerzemu czy babci o moim niskim materializmie!"

Wstawałam teraz o szóstej rano, by na siódmą być w hotelu „Ibis". Później Amerykanie żądali ode mnie, bym umożliwiła im wczucie się w „klimat" lub „atmosferę". Objeżdżaliśmy więc taksówką okoliczne wsie tak często, że właściciel anielińskiej gospody dał nam znaczny rabat na „potrawy i napoje regionalne".

Operator robił mi przez cały czas zdjęcia w kożuchu (obawy o daleko posuniętą nagość okazały się bezpodstawne), ponieważ uznał, że publiczność

Hollywood oczekuje po Europie Wschodniej syberyjskich mrozów. Tymczasem panował majowy upał, a ja dusiłam się w futrzanej czapie przy dwudziestu ośmiu stopniach Celsjusza w cieniu. Zajęcie było ogłupiające, lecz dawało mi przynajmniej bolesną satysfakcję, że uczciwie zapracowuję na moje dwieście dolarów.

Po czterech dniach zaczęłam tęsknić za starym, kapryśnym komputerem w bibliotece Falbera, tym bardziej iż miałam już niezbite przekonanie, że przysłani przez Andrew Amerykanie nie szukają prawdy. Chcieli potwierdzenia swojej wizji, a ja im to ułatwiałam, pozwalając się fotografować w tych idiotycznych futrzanych czapach rodem z radzieckich filmów wojennych.

– Nie mogę! – stwierdziłam czwartego dnia.

Trzy pary zdziwionych oczu zwróciło się w moją stronę.

– Nie mogę pozwolić na kręcenie filmu erotycznego o córce mojej własnej prababki i przywdziawszy paskudną czapę, powtarzać kłamstw o rzekomym romansie z Antkiem Szulcem! – wyrzuciłam z siebie jednym tchem.

– Czemu Julia uważa czapkę za paskudną? – zdziwił się Mike, jakby właśnie ta część mojej wypowiedzi była najważniejsza. – Zaprojektował ją sam Jean Paul Gaultier! Kolekcja jesień–zima. Kożuszki też są jego autorstwa.

– Imponujące – mruknęłam.

Wyglądało na to, że niewiele wskóram, rozma-

wiając z ekipą. Postanowiłam zadzwonić do Petera
i poinformować go o rezygnacji ze źródła dochodu,
jakie dawał mi film Szulca. Z ciężkim sercem na-
grałam się na automatyczną sekretarkę, nie wiedząc
do końca, czy robię z siebie naiwną idiotkę, czy godną podziwu bohaterkę męczennicę.

W ostatnim odruchu dobrej woli zabrałam fil-
mowców do starego domu Zofii. Wiele lat temu
słynną strzechę, która uratowała życie Jürgenowi,
Tadeusz zamienił na zieloną blachę, ale przed domem rosły te same ogromne lipy, które musiały pa-
miętać wizytę Andrew. Nawet drewniany stół pod
kasztanem wydawał się stać w tym samym miejscu,
co przed laty. Mężczyźni kręcili bez wytchnienia
cały dzień, a następnego ranka (na wyraźną prośbę
Petera), z poczuciem solidnie wypełnionej misji,
wrócili samolotem rejsowym do Los Angeles.

* * *

Tadeusz siedział przy kontuarze baru „Pod Stokrotką", w pobliżu którego, mimo nazwy, nie było
żadnych żywych kwiatów. Wokół walało się pełno
gruzu i kamieni zwiezionych na budowę nowej drogi. W środku siedziało paru przedwojennych war-
szawiaków, ale stałą klientelę stanowiła ludność na-
pływowa ze wschodu i południa. Ludzie ci przyjeżdżali ze wsi, tak samo jak on przyjechał do stolicy
kilka lat temu, i tak samo jak Tadek nie mieli tu swoich ulic, wspomnień i miejsc, do których chce się
człowiekowi wracać. W zastępstwie przychodzili do
baru „Pod Stokrotką".

– Jak twoja żona, Tadzik? – zainteresował się Staszek, niewysoki blondyn zza Buga, charakterystycznie zaciągając. – Mówiłeś, że studiuje.

– Już nie.

– Nie może być! – Staszek, który słynął z mocnej głowy, zaproponował przyjacielowi kolejkę.

Tadzik przystał na propozycję skinięciem głowy. Kiedy wyszli na zewnątrz, Staszek wyciągnął dwie szklaneczki i schowaną za pasem butelkę samogonu.

– Własny?

– Pierwszy, który pędziliśmy z bratem na nowych śmieciach – pochwalił się. – A smakuje zupełnie tak samo jak zabużański.

Tadeusz spróbował.

– I jak? Dobry?

– Dobry.

– To czemu jesteś taki ponury? Słoneczko świeci, robota idzie, bimberek jest, mieszkać też masz gdzie... Chyba że nie możesz odżałować, iż żona na magistra nie chce się szkolić? – zachichotał.

– Mam to gdzieś! Ta kobieta i tak więcej czasu spędza na zebraniach niż we własnej kuchni.

– Fiuu! – gwizdnął przeciągle Staszek. – Może ma kogoś?

– Owszem. To towarzysz Stalin.

Staszek nachylił się do ucha przyjaciela.

– Tym akurat bym się nie przejmował. Stalin jest stary i, że się tak wyrażę, niedostępny.

– ???

– Chłop choćby nie wiem jak ważny na papierze

jest sto razy mniej groźny od nawet niepiśmiennego, ale w prawdziwych portkach.

Ludowa mądrość Staszka nie obejmowała jednak swym zasięgiem krętych niczym korytarze partyjnego gmachu zakamarków duszy ludzi oddanych Socjalistycznej Sprawie. Urszuli trudno było wprawdzie utrzymywać fizyczne stosunki z obiektem swojego uwielbienia, ale mogła słać do Niego listy, czytać Jego dzieła i wieszać Jego portrety tam, gdzie przyzwoici ludzie ze wsi wieszają obrazy świętych.

Tadeusz nie potrafił zrozumieć afektu Uli do człowieka, którego w myślach nazywał „starym dziadem" lub „parszywym ruskiem". Przezornie nie dzielił się głośno swoimi poglądami z innymi, bo ludzie pragnący zdobyć lepsze stanowisko lub choćby tylko przypodobać się partii szli w ślady jego Urszuli. Nienawidził posążków i popiersi Stalina, które masowo zalęgły się w szkołach, szpitalach i fabrykach. Jego żona otrzymała kiedyś jedno takie popiersie w nagrodę za ofiarną działalność w komitecie miejskim PZPR i postawiła je na wyściełanym taborecie pod oknem. Było tak duże, że na piedestale można było ustawić dwie, a może nawet trzy głowy radzieckiego wodza. Tadeusz nie wątpił, że ogrom nagrody musi odzwierciedlać wielkość zasług Uli dla komitetu partii.

– Dieduszka – nazywała kamienny odlew wnuczka dozorczyni, głaszcząc go każdorazowo czule po wielkim, twardym łbie.

– Biedne dziecko – wzdychał wówczas Tadek,

dziękując losowi, że oszczędził mu wychowywania potomstwa w tak zakłamanych ideowo czasach.

Przezorność i rozwaga Tadeusza w wyrażaniu skrajnych opinii szybko zaowocowały awansem w pracy. Najpierw wybrano go na majstra, ale kiedy naczelnemu inżynierowi doniesiono, jak oddana partii jest jego żona, Tadeusz szybko awansował na kierownika zmiany.

– Kierowniku! – wołano za nim. – Co kierownik sądzi o tym? Jakie jest zdanie kierownika o owym?

Tadek polubił swoją wysoką pozycję i dlatego był ostrożny w szafowaniu nieostrożnymi opiniami.

– To ja was, jako wasz zwierzchnik, najpierw zapytam o poglądy, obywatelu!

Stale tak odpowiadał, przez co w krótkim czasie zaczął uchodzić za zaufanego człowieka partii, a może nawet (jak twierdzili inni) za tajną wtyczkę samego Komitetu Centralnego!

Nikogo więc specjalnie nie zdziwiło, kiedy z Nowym Rokiem został powołany na stanowisko wicedyrektora. Pensję podniesiono mu trzykrotnie i dokładnie o tyle samo ubyło mu obowiązków. Siedział teraz we własnym gabinecie i zastanawiał się, ilu jest na samym szczycie ludzi takich jak on i czy są wśród nich tacy, z którymi będzie mógł pić wódkę i rozmawiać o życiu tak samo beztrosko jak kiedyś ze Staszkiem.

Żałował, że Staszek dał się skusić perspektywą szybkiego zarobku i jak wielu młodych mężczyzn wyjechał ze stolicy na Górny Śląsk.

Okazało się, że w kierownictwie jest wielu takich, którzy cenią zarówno mocną głowę, jak i powściągliwość Tadka. Nigdy nie puszczał w obieg niesprawdzonych wiadomości, a zaangażowanie w politykę pani Pruskiej pozwalało na snucie przypuszczeń, że tak doskonale ustawiony człowiek jak on musi wiedzieć wszystko.

* * *

– Wyglądasz wspaniale!

Alina zmierzyła wzrokiem szyty na miarę dyrektorski garnitur Tadeusza.

– Ty również – brat z pełnym przekonaniem odwzajemnił komplement. – Długo kazałaś nam czekać na swój ślub, siostro, ale było warto.

W dniu ślubu Aliny pogoda była zmienna. Najpierw przeszedł huragan przeistaczający się w burzę z gradobiciem, po której na niebie pojawiła się tęcza, a zaraz po niej oślepiające słońce.

– Nawet niebo odzwierciedla historię mojego życia – mówiła z uśmiechem, gdy goście z trwogą zerkali do góry. – Teraz może już tylko świecić słońce.

Rzeczywiście, słońce świeciło do samego wieczora.

– Przyjazd tutaj był kiepskim pomysłem – stwierdziła Urszula, rozkładając pościel w domu Zofii. – Te wszystkie gusła i przesądy, religijne obrządki weselne. Czy nikt nie uświadomił ich politycznie? Ci ludzie są kompletnie oderwani od rzeczywistości!

Tadeusz stanął przy niej.

– Mylisz się – jego głos był poważny. – To my i cały ten świat jesteśmy oderwani od rzeczywistości. Oni są prawdziwi.

* * *

Zofia Pruska posiadała niezwykłą dla innych śmiertelników umiejętność rozmawiania ze zmarłymi. Codziennie wieczorem siadała w kącie podwórka i relacjonowała Jürgenowi, jak minął kolejny dzień jej życia. Opowiadała, co słyszała w radiu, że ocieliła się krowa sąsiadów, że umarł jakiś Stalin i wszyscy udają, że ich to bardzo obchodzi, kiedy tak naprawdę każdy najbardziej troszczy się o samego siebie. Choć Jürgen nigdy jej nie odpowiedział, Zofii wydawało się, że gdzieś z daleka, z nieba, słyszy jego donośny śmiech.

– Jak żyje dziadziuś? – dopytywała się Małgosia. – Czy dzisiaj odpowiedział, kiedy zabierze cię do siebie?

– Nie, ale twoja babcia wciąż go o to pyta – zapewniła Zofia.

Nic nie wskazywało, by Zofia rychło miała się udać w ślady Jürgena. Była zdrowa i pełna energii, a miejscowa swatka zaproponowała jej pomoc w zawarciu kolejnego małżeństwa.

– Zupełnie nie wyobrażam sobie, żebym tam na górze mogła postawić Jürgena w tak niezręcznej sytuacji – wzbraniała się prababka. – Jak miałabym mu o tym powiedzieć: „Jurguś, powiększyła nam się rodzina...? Jest nas teraz troje w małżeństwie...?" Czy wy doprawdy wyobrażacie sobie, żebyśmy ze

130

świętej pamięci małżonkiem żyli tam w niebie jak – nie przymierzając – ci bezbożnicy Arabowie!

Zofia splunęła z odrazą, a swatka szybko poszła w jej ślady.

– Tak o tym do tej pory nie myślałam...

Prababka zrobiła minę osoby świadomej swojej wiedzy. Od czasu kiedy rozpoczęła pracę w szkole, była dumna z nowego, wysokiego w jej mniemaniu, stanowiska woźnej. Dzięki niemu miała swobodny dostęp do książek, map i globusów. Niespecjalnie lubiła czytać, bo długie ślęczenie nad literami męczyło jej wzrok, natomiast albumy i atlasy wystarczająco rekompensowały tę niedogodność, pozwalając dzięki wielobarwnym fotografiom do woli zagłębiać się w tym samym oceanie wiedzy, który kiedyś tak pasjonował Jürgena.

W odremontowanej po wojnie szkole stanął również fortepian Hamana, ale tego instrumentu Zofia nie dotykała nigdy i nie pozwalała uczniom, by traktowały go jak zabawkę. Również Alina miała z nim kłopot. Nikt w okolicy nie potrafił na nim grać ani nawet go nastroić. Pragnęła, by wiejskie dzieci uczyły się muzyki, ale bez odpowiedniego nauczyciela okazało się to niewykonalne.

W końcu postanowiono pozbyć się fortepianu. Ktoś chciał wykorzystać go na szafę, ktoś inny na kurnik dla piskląt, inny nawet – utopić w bagnie. Alina bezradnie rozkładała ręce.

– Nikomu nie pozwolę zatopić niewinnego instrumentu!

W końcu stanęło na tym, że Tadeusz ma znaleźć dla niego w Warszawie nabywcę. Uznano, że stosowne ogłoszenie w prasie rozwiąże problem, a uzyskane ze sprzedaży pieniądze zasilą drobną kwotą kasę wiejskiej szkółki.

* * *

Minęło kilka dni od ukazania się anonsu, kiedy zadzwonił telefon. Urszula odłożyła słuchawkę obok aparatu.

– Pierwszy telefon w sprawie fortepianu – stwierdziła, po czym natychmiast dodała z przekąsem: – Gdybyś dał ogłoszenie, że zbierasz przedwojenne rupiecie, zgłosiłyby się do ciebie ze dwie setki ludzi!

Miała rację. Szabrownicy wciąż próbowali wepchnąć, komu się tylko dało, pożydowskie i podworskie mienie, więc sam się dziwił, że ktoś odpowiedział na jego ogłoszenie.

– Ja w sprawie fortepianu – zachrypnięty głos w słuchawce brzmiał niepokojąco zmysłowo i Tadeusz wychwycił to już po pierwszym słowie.

Zastanawiał się, kim mogła być właścicielka owego głosu, gdy zamykał za sobą drzwi do przedpokoju. Zaniepokoił go ten podświadomy odruch odgradzania się od Urszuli, bo nigdy wcześniej tego nie robił, nawet kiedy rozmawiał z kimś z dyrekcji.

Próbując pozbierać myśli, Tadeusz zaczął wymieniać parametry instrumentu, które Alina jakimś cudem odczytała w jego wnętrzu.

– To niezwykła rzecz, czy pan wie? – niepokojąco zaskrzypiał głos.

– Wiem – odpowiedział pewnie.

Nie był jednak do końca przekonany, czy bardziej mówi o fortepianie, czy o telefonie kobiety.

– Tak myślałam. Nikt banalny w dzisiejszych czasach nie sprzedaje fortepianu...

– Nikt banalny w dzisiejszych czasach nie kupuje fortepianu – ripostował Tadek i poczuł, że tak właśnie myśli.

Tadek i kobieta o niezwykłym głosie, która kazała mówić na siebie Kika, mieli się spotkać o ósmej rano na rogu Marszałkowskiej, by razem pojechać do Anielina w celu obejrzenia instrumentu.

– Kika, cóż za idiotyczne imię! – parsknęła pogardliwie Urszula. – Pasuje do kota lub konia, ale nie do człowieka.

– Jest aktorką – oznajmił, jakby to wszystko wyjaśniało.

– Ach tak? – Wzrok Urszuli zawisł nad nim jak ostrze noża.

– Przypuszczam, że fortepian może być jej potrzebny do pracy.

Tadek powiedział to jednak bez przekonania. Wiedział, że aktorka to ktoś, kto występuje w filmach i teatrach, czasem śpiewa lub tańczy. Słyszał też, że aktorki bywają tak samo piękne, jak i niebezpieczne.

Kiedy ujrzał Kikę po raz pierwszy w umówionym miejscu, wiedział, że ma do czynienia z kimś na podobieństwo bajkowej syreny zniewalającej mężczyzn głosem. Szła ku niemu, zupełnie się nie spiesząc mimo kilkunastominutowego spóźnienia. Nie dbała ani o to, że na wyjazd do Anielina wziął dzień urlopu w pracy, ani o nic, co jeszcze rano miało dla niego znaczenie.

Wsiadła do służbowej syrenki Tadeusza. Wujka, przywykłego do pytań i zachwytów nad wozem koloru kości słoniowej, zmartwiło milczenie aktorki. Siląc się na obojętność, poklepał kierownicę.

– Służbowy samochód – wyjaśnił, próbując przerwać kłopotliwe milczenie. – W zeszłym miesiącu przyznano pięć sztuk dla zespołu kierowniczego...

– Doprawdy? – Kika uniosła brew.

Tadek po raz pierwszy pozwolił sobie zerknąć w stronę kobiety. Był początkującym kierowcą i wciąż obawiał się odrywać wzrok od jezdni.

Aktorka była piękna. Nie w tak wszechogarniający, duszący sposób jak jego siostra Stasia, lecz w inny – egzotyczny i elegancki. Wyobrażał sobie, że tak właśnie powinna wyglądać aktorka, i Kika nie zawiodła jego oczekiwań.

– Jestem zastępcą dyrektora.

Stanowisko mężczyzny jak świat światem robiło wrażenie na kobietach i Tadek miał prawo oczekiwać tego samego od swojej pasażerki. Ta jednak zamiast westchnąć z zachwytem zapytała trzeźwo:

– Więc? Co to oznacza: że jesteś szczęśliwy, zrealizowany, zadowolony?

– Nie wiem – odpowiedział zgodnie z prawdą. Powinien wymyślić coś odpowiedniejszego, lecz Kika zupełnie zaskoczyła go tym pytaniem.

Teraz patrzyła na niego uważnie.

– To było poważne pytanie i pragnę poważnej odpowiedzi.

Nikt od dawna nie zadawał mu poważnych pytań, a przynajmniej pytań tego rodzaju.

– Co chce pani wiedzieć?

– Chcesz – poprawiła go, przypominając, że postanowili uprościć wzajemne relacje.

– Chcesz – powtórzył Tadeusz, wiedząc, że Urszuli ta poufałość by się nie podobała.

– Od początku naszego spotkania mówisz o nieistotnych rzeczach: samochodzie, stanowisku, więc nie powinno cię dziwić, że wreszcie zapytałam o coś, co naprawdę się liczy. – Milczał, a jego współpasażerka mówiła dalej: – Jedną z takich rzeczy jest szczęście, podobnie jak przyjaźń i miłość.

Wzrok aktorki powędrował za szybę, a Tadek z napięciem oczekiwał pytania o stan cywilny, jakie powinno po takim wstępie nastąpić.

– Nie uważam się za nieszczęśliwego, bo od dawna przestałem marzyć o rzeczach niemożliwych. – Mówiąc to, bardziej myślał o swojej rodzinie niż pracy.

Kika to zauważyła.

– Zabrzmiało to nieco dziwnie jak na wicedyrektora.

– Mój awans to przypadek. Właściwie o nim też nie marzyłem.

– Wszystko w naszym świecie powoli przestaje zależeć od nas, od naszej woli. Lecz oczywiście ma to również swoje dobre strony.

– Jakie? – zdziwił się Tadeusz.

– Możemy czuć się wolni. Skoro tak niewiele od nas zależy, nie ma potrzeby tracić czasu na zbyteczne wysiłki. Lepiej brać od życia to, co nam daje.

– Nie czuję się wolny. – Tadeusz oderwał wzrok od kierownicy i spojrzał wprost w oczy kobiety.

Przez krótką chwilę wydawało mu się, że widzi w nich odbicie nieba. Do rzeczywistości przywróciło go szarpnięcie za kierownicę. To Kika korygowała tor jazdy syrenki. Uśmiechnęła się.

– Niepotrzebnie...

Jej głos sprawił, że znów zakręciło mu się w głowie.

– A ty czym się zajmujesz?

Pytanie wydawało mu się głupie, bo przecież doskonale wiedział, że jest aktorką, ale to niewiele mu mówiło.

– Od trzech lat uczę w szkole muzycznej. Nie gram już na scenie.

– Dlaczego?

– Bo chcę się czuć wolna.

– Aha... – udawał, że rozumie.

Na rozstaju dróg Tadeusz skręcił w stronę rzeki. Była to dłuższa droga do wsi, lecz znacznie piękniejsza. Pomyślał, że jego pasażerce może się spodobać.

– Pani w sprawie fortepianu? – ucieszyła się szczerze Alina, kiedy dotarli na miejsce. – Bardzo się martwiłam, że zostanie przerobiony na kurnik!

– Na kurnik?! – zdziwiła się aktorka.

– Lub kwietnik – uzupełniła babcia. – Choć była

136

również brana pod uwagę opcja zatopienia go w bagnie.

Kika odwróciła pobladłe oblicze ku Tadeuszowi. Ten dla odmiany zaczerwienił się, nie bardzo wiedząc, jak jej wytłumaczyć barbarzyńskie zwyczaje mieszkańców wsi.

– Oczywiście, broniłam fortepianu Dawida, lecz kiedy zorientowaliśmy się – tłumaczyła Alina, prowadząc ich na szkolny strych – że nie ma sensu dłużej czekać na powrót pani Hamanowej, dałam za wygraną.

Kika ruszyła wprost na instrument. Zrzuciła na ziemię przykrywającą go koronkową serwetę, jakby była zwykłą szmatą przesłaniającą widok na dzieło sztuki. Ze zdumienia zabrakło jej tchu w piersiach. Opadła na kolana i na czworakach obeszła wokół instrument Dawida, wodząc po nim dłońmi bądź przytulając się do niego miłośnie niczym do odnalezionego po latach kochanka.

Jakub i Alina wymienili lekko rozbawione spojrzenia i zerknęli znacząco w stronę Tadeusza. Ten nie odwzajemnił ich uśmiechu. Jak zahipnotyzowany wpatrywał się w Kikę. W jego oczach płonęło pożądanie i nie dotyczyło ono bynajmniej instrumentu Hamana. Ów niezwykły spektakl spojrzeń i zachwytu przerwał ptasi głos wydobywający się z głębi fortepianu.

– To zwyczajna kawka – stwierdził Jakub, wyciągając młodego ptaka z pudła instrumentu.

Obawiał się, że fakt zalęgnięcia się w koncertowym fortepianie ptaków może zepsuć transakcję sprzedaży. Tymczasem Kika i Tadeusz ściskali ptaszka, świadomi, że na ich oczach wydarzył się najprawdziwszy cud.

– To się zdarza – tłumaczyła Alina, kiedy zostali z Jakubem sami. – Skoro znaleźli ptaka, należy do nich.
– Nie opowiadaj bzdur! – żachnął się Jakub. – Mam gdzieś ptaka! Dlaczego później nawet nie próbowałaś sprzedać tej artystce fortepianu?
– Bo straciła nim zainteresowanie.
– Przez ptaka?
– Właśnie tak.
Jakub pokręcił z niedowierzaniem głową.
– Zresztą postanowiłam nie pozbywać się instrumentu. – Alina uśmiechnęła się przepraszająco do męża. – To w pewnym sensie pamiątka rodzinna. Weźmiemy go zatem do siebie na górę i wszyscy będą zadowoleni, że nie zajmuje miejsca w szkole! Rada gminy, dyrektor szkoły i... ja.
Niestety, Jakub należał do nielicznych niezadowolonych, na jego to bowiem barki spadło przenoszenie ogromnego fortepianu do domu. Zapamiętał jednak dobrze dziwne zachowanie aktorki, więc choć uważał ów grający przedmiot za całkowicie niesprzedawalny, miał w głębi duszy nadzieję, że skoro budzi takie emocje, musi być coś wart.

* * *

Ptak z fortepianu Dawida Hamana znalazł poczesne miejsce w domu Kiki. Codziennie odwiedzany przez Tadeusza, mógł czuć się bardziej dzieckiem tej pary niż maskotką.

– Bóg nam go dał – zapewniała Kika, gdy leżeli nago na świeżo powleczonej kołdrze. – Jest naszym synkiem. Malutkim Dodziem.

Tadek spoglądał, jak kochanka wkłada szlafrok, by ukryć nagość przed kawką, jakby ptak był dzieckiem, przed którego niewinnymi oczami trzeba było skrywać prawdę o intymnym życiu rodziców. Podobało mu się to. Wreszcie miał pozory domu, którego nigdy nie udało mu się stworzyć z Urszulą.

– Pytałaś kiedyś, czy jestem szczęśliwy. Teraz mogę ci odpowiedzieć: Jestem...

Kika rzuciła mu przelotny uśmiech.

– Więc nakarm naszego chłopczyka!

Tadek podniósł z ziemi miskę dla ptaka. Chciał dzisiaj powiedzieć Kice, że nie mają już samochodu, bo Urszula, nim da mu rozwód, postanowiła go doszczętnie zrujnować. Ale milczał. To nie miało najmniejszego znaczenia. Zaczął podśpiewywać, naśladując ptasi głos: – To nie mia-ło naj-mniej-sze-go zna-cze-nia.

– Co tam mruczysz, Tadziku?

– Och, nic, co miałoby znaczenie. Po prostu idę nakarmić małego.

– To dobrze...

Ptak przystosował się do życia w trójkę. Dwoje ludzi i on. Rozumieli się, żyli w jednym mieszkaniu, stanowili rodzinę. Niestety, ptak powinien fruwać i Tadeusz z Kiką zamartwiali się, że nie mogą zapewnić pupilkowi więcej słońca i światła. Kiedy więc Tadeuszowi w ramach „obowiązkowego awansu" zaproponowano objęcie stanowiska dyrektora niewielkiego i nic nieznaczącego zakładu na głębokiej prowincji – zgodził się bez żalu.

Wszyscy zdawali sobie sprawę z bolesnego faktu, iż rzekomy awans tak naprawdę był degradacją i że dawny pupilek partii popadł w niełaskę politycznych przywódców narodu. Porzucił żonę, unikał partyjnych imprez i wypadów za miasto. W kręgach wtajemniczonych mówiło się, że zdziwaczał, a nawet zwariował. Opowiadano o kochance aktorce i znalezionym ptaku, którego obydwoje wychowują jak syna. To nie mogło się podobać ani wrogom, ani przyjaciołom dawnego wicedyrektora.

Tym samym mój wuj wyjeżdżał z Warszawy w złej sławie wariata.

* * *

– Pytał pan kiedyś, czy nie zauważyłam czegoś niepokojącego.

Jerzy Falber uniósł brwi, usiłując odgadnąć, do czego zmierzam.

– Och, panie Jerzy, mówię oczywiście o omdleniu i rodzinnych przypadłościach zdrowotnych. O genach...

Przytaknął skinięciem głowy, a ja kontynuowałam, zadowolona ze swego odkrycia.

– Otóż tak, przypomniałam sobie, że miałam w rodzinie kogoś, kto miał opinię wariata!

– Miał opinię? – zdziwił się pisarz. – Co to znaczy? Był leczony? Hospitalizowany?

– Ależ skąd! – zapewniłam. – Wuj Tadek był zupełnie niegroźny.

Nie wydawało mi się, żeby adoptowana kawka Tadeusza mogła mieć wpływ na mój stan zdrowia, ale Falbera, niczym wytrawnego psychoterapeutę, interesowało wszystko: moja przeszłość, teraźniejszość, sny.

– A nowe obowiązki związane z filmem o Stanisławie? Czy nie jest pani za ciężko? – zainteresował się szczerze mój pracodawca.

– Nie wszystko idzie po mojej myśli – stwierdziłam zgodnie z prawdą. – Ale sam pan zachęcał mnie do podjęcia jakiejś niecodziennej działalności...

– Właśnie tak. Tym bardziej że pani babcia jest tego samego zdania.

Falber często wspominał Alinę, powoływał się na jej słowa i oryginalne widzenie świata.

Od świąt stał się niemal jednym z naszych krewnych, więc nie widziałam nic złego w zwierzeniu mu się, że zupełnie nie miałam zamiaru przejmować się swoją niegodną pozazdroszczenia sytuacją. Przeżywałam fascynację głosem mężczyzny, który nie potrafi nawet poprawnie wymówić po polsku swojego imienia. Wydawało mi się to najbardziej niedorzeczną sytuacją w tej całej pokręconej historii. Zachowywałam się beztrosko niczym wuj Tadek żegnający się z dyrektorską posadą w stolicy w imię miłości do jednej głupiej kawki.

– Z czego się pani śmieje?

– Z nas. Och, przepraszam, śmieję się tylko z siebie samej!

– Często zdarzają się pani takie ataki niepohamowanego śmiechu? – Pisarz przyglądał mi się podejrzliwie. Najwidoczniej wystraszył się, że szaleństwo Tadzika może być dziedziczne.

– Niestety, zbyt rzadko.

Szczerze lubiłam staruszka i nasze rozmowy. Muszę kupić mu coś miłego – przyrzekłam sobie w duchu. – Może nową lampę, a może kwiatek do tego staroświeckiego pokoju? W rezultacie zdecydowałam się na buteleczkę porządnego porto. Niech wie, że troszczę się o niego!

Z poczuciem dobrze spełnionej misji udałam się na obiad.

* * *

Na polakierowanych na zielono drzwiach wisiała tabliczka, że Kika przyjmuje w środy i piątki w godzinach południowych. „Wyłącznie w dni nieparzyste" – głosił dopisany poniżej ręką ciotki napis. Kika nigdy nie wróciła do zawodu, tak jak nie wróciła do Warszawy, zaszywając się na zawsze na głębokiej prowincji.

Z zewnątrz trudno się było domyślić, czym zajmowała się żona Tadeusza w maleńkiej, wąskiej kamieniczce w centrum niewielkiego, zapadłego miasteczka. Dopiero gdy przekroczyłam próg jej mieszkania, wszystko stało się jasne. Kika musiała wpaść w szpony niebezpiecznego karcianego nałogu. Na ścianach wisiały ciężkie tkaniny, a na pokrytym zielonym aksamitem karcianym stoliku płonęły świece. Karty leżały nieopodal. Rozejrzałam się niepewnie.

Dopóki żył Tadeusz, jakoś się trzymała, lecz smutek po śmierci Dodzia (choć ptak, nawiasem mówiąc, w dobrobycie i pod troskliwą opieką i tak prawie dwukrotnie przeżył innych przedstawicieli swojego gatunku) zupełnie złamał serce Tadka.

– Przyszłaś po to? – Kika wskazała na talię dużych, odwróconych kart.

Obawiałam się, że zaraz każe mi grać w pokera na pieniądze, a ja nie znajdę w sobie dość odwagi, by odmówić starej kobiecie. Kiepsko oceniałam w tej rozgrywce swoje szanse: sądząc po napisie na drzwiach, Kika była profesjonalistką, a biorąc dodatkowo pod uwagę jej aktorskie wykształcenie – byłam w sytuacji nie do pozazdroszczenia.

– Przyszłam porozmawiać o przeszłości, ciociu.

Zerknęła na mnie uważnie.

– Nie o przyszłości?

Nie chciało mi się wierzyć, lecz wszystko wskazywało na to, że Kika chce mnie naciągnąć na pokerka o dużej stawce.

Opadłam na krzesło, nie wiedząc dokładnie, o co pytać żonę wujka Tadka. Właściwie nawet nie miałam pytań. Chciałam po prostu spotkać się z ciotką.

– Wiesz, że jeden Amerykanin ma zamiar kręcić film o Stanisławie Mutter? – zaczęłam. – Wciągnął mnie nawet podstępnie w tę całą produkcję...

Ciotka kiwała się w fotelu. Mimo grubego makijażu wyglądała staro. Pomyślałam, że nigdy nie miałam okazji widzieć jej prawdziwej twarzy – bez pudrów i szminek.

– Kiedyś i ja kręciłam film. Byłam aktorką...

– Nadal nią trochę jesteś. – Uśmiechnęłam się do Kiki, wskazując na stolik do kart. – Dlatego myślę, że powinien rozmawiać z tobą, nie ze mną.

– Naprawdę? – zapytała z nadzieją w głosie. – Myślisz, że mogłoby go zainteresować, co robi jakaś stara eksaktorka, dorabiająca do renty wróżeniem z kart?

„Ach, więc ona zajmuje się po prostu wróżbiarstwem" – odetchnęłam z ulgą. Ten sposób zarobkowania, nie wiedzieć czemu, wydał mi się właściwszy dla starszej pani niż gra na pieniądze.

– Poświęciłam sztukę dla rodziny. – Ciotka z dumą wyciągnęła album ze zdjęciami. – Gdy zostaje się nieoczekiwanie rodzicem w dość późnym wieku, tak jak ja z Tadzikiem, trzeba więcej czasu poświęcić maleństwu. Pamiętaj o tym, nim się zestarzejesz! Lepiej staraj się ułożyć sobie życie rodzinne za młodu. Choć w naszym przypadku to był oczywiście traf. Bóg zesłał nam Dodzia późno, bo taka była widać Jego wola.

Nie miałam zamiaru układać sobie życia z kawką! Nie miałam zamiaru robić wielu innych rzeczy, które ci wszyscy ludzie będący moją najbliższą rodziną czynili bez mrugnięcia okiem. A jednak nie mogłam odrzucić natrętnej myśli, że nigdy nie po-

zbędę się wrażenia, jakbym przez wspólną krew
była cichym współuczestnikiem ich czynów, wy-
stępków, a czasem i namiętności.

Powinnam, jak inni ludzie, wykpić starą dziwacz-
kę i wyjść z jej domu, przekonana o własnej przewa-
dze intelektualnej. Zamiast tego zaproponowałam,
że chętnie obejrzę zdjęcia przedstawiające rozwój
Dodzia od młodego pisklęcia aż po starego, gubią-
cego pióra ptaka.

Kawka obchodziła z nimi święta, pierwszą
gwiazdkę, czasem chorowała lub przestawała jeść,
a jej przybrani rodzice zamartwiali się wówczas
całymi dniami. Dla ptaka zrezygnowali z wyjazdów
na wakacje (bo któż by przyjął do hotelu ptaka?!),
odwiedzin u znajomych i wielu innych rzeczy, które
dla większości ludzi stanowią sens bytowania na
tym ziemskim padole. Najbardziej zdumiewające
było to, iż nie sprawiali wrażenia nieszczęśliwych.
Uśmiechali się z dumą z czarno-białych zdjęć,
głęboko wierząc, że to sam Bóg, niemy i głuchy na
potrzeby ludzi, im okazał niezwykłą łaskę, zsyłając
ptaszka w pudle koncertowego fortepianu Hamana.
Sama już nie byłam pewna, kto ma rację: ciotka czy
inni?

Czy brat mojej babki był tylko niegroźnym sza-
leńcem, czy też cały zakrzepły wokół w swoim cy-
nizmie świat się mylił?

Zapytałam, czy nie mogłabym dostać na pamiątkę
zdjęcia Dodzia. Przecież przez pewien czas wszyscy
byliśmy w pewnym sensie rodziną.

Kika spojrzała na mnie z wdzięcznością i ochoczo

zaczęła wybierać fotografię, na której, w jej mniemaniu, ptak wypadł najkorzystniej.

– Tu wygląda bardzo mądrze! Sama popatrz! – ciotka wręczyła mi zdjęcie ptaka zaciekawionego obiektywem.

Schowałam je do portfela.

– A co u ciebie? – zainteresowała się, kiedy wyczerpałyśmy temat osobliwego potomka wujostwa. – Jesteś szczęśliwa?

Przypomniałam sobie, że tym samym pytaniem przed laty kupiła miłość Tadeusza. Chyba nikt oprócz niej nie zadawał już tego typu pytań.

– Nie wiem.

Roześmiałam się, złapawszy się na tym, że odpowiedziałam dokładnie tak samo jak wujek Tadek.

Po dokończeniu zbyt słodkiej i zbyt mocnej herbaty Kika rozłożyła karty na zielonej serwecie.

– Wybierz siedem! – rozkazała.

Posłusznie zrobiłam to, co poleciła. Po przewróceniu kart na prawą stronę zamiast króli, dam i dziewiątek mym oczom ukazały się wizerunki dziwnie ubranych ludzi, kielichów i monet. Jedyną kartą, jaką potrafiłam zinterpretować, był obraz przedstawiający kostuchę dzierżącą kosę. Ten widok od wieków przeraża ludzi.

– Czy to jest Śmierć?

– Śmierć – potwierdziła Kika.

Zadrżałam. Nie spodziewałam się po jej wróżbach żadnych rewelacji w postaci wysokiej wygranej na loterii, ale śmierć to już przesada. Jak każdy człowiek wywodzący się z małej miejscowości żywię głęboką wiarę w przesądy i złe omeny.

– Umrę? – zapytałam trwożliwie, choć oczywiście w gruncie rzeczy wolałabym tego nie wiedzieć.

– Oczywiście – potwierdziła Kika ze stoickim spokojem. – Jak każdy. Śmierć rzeczy i śmierć przekonań to niezupełnie to samo. Wróżby rzadko dotyczą ciała, zdecydowanie częściej materii nieożywionej. Śmierć symbolizuje zmianę w życiu, Julio. Dużą zmianę, a zmian nie należy się lękać.

– Czy to będzie zmiana na lepsze czy na gorsze?

Kika roześmiała się i wyjęła paczkę papierosów. Ten, który wyciągnęła dla siebie, osadziła w długiej, okopconej ze starości dulawce.

– Większość moich klientów przychodzi tu po nadzieję. Chce usłyszeć krzepiące słowa bez względu na wszystko, niezależnie od stopnia prawdopodobieństwa tych optymistycznych prognoz. Ty chyba do nich nie należysz?

– Nie – zaprzeczyłam bez przekonania.

– Tak myślałam – ucieszyła się Kika. – Tadek też był taki, i babka Alina, i nawet Małgorzata, choć twoja matka akurat dała się wieść bezkrytycznie przeznaczeniu wszędzie tam, gdzie ją zaprowadziło.

– Więc co z tymi zmianami? – pociągnęłam dym z papierosa i zakrztusiłam się.

Nie miałam pojęcia, z czego je robiła, w smaku przypominały bowiem bardziej opium niż zwykłe fabryczne papierosy. Kika nie zwracała na mnie uwagi.

– Aby coś się mogło urodzić, coś musi umrzeć. – Kika z czułością pogładziła karty. – Żeby zrobić miejsce dla nowej miłości, trzeba rozstać się ze starą. Śmierć jest dobrodziejstwem naszej egzystencji. Każdego dnia umieramy i rodzimy się na nowo.

W uszach wciąż mi brzmiały słowa ciotki. Unosiły się i opadały niczym fale morskiej wody – w górę i w dół, jak śmierć i narodziny, jak wymiana pokoleń. Fale ogarniały mnie coraz mocniej. Ściany i sufit zbliżały się i oddalały we wspólnym tańcu. Niemal znowu zemdlałam.

* * *

– To znak! – słowa Aliny brzmiały stanowczo.
– Może po prostu dziewczynka dojrzewa? – próbował przekonać żonę Jakub. – Pojadę po lekarza.
– To na nic – oznajmiła Zofia. – On nic nie poradzi na znaki niebios.
Małgorzata odzyskiwała przytomność, choć jej rumiana zwykle twarz wciąż była nienaturalnie blada.

Przez swoje omdlenie Małgorzata była spóźniona do szkoły na tyle, że rodzice zdecydowali się w ogóle jej w ten dzień nie wysyłać. Ponieważ był to pierwszy dzień roku szkolnego, a dla mojej matki pierwszy dzień szkoły w życiu, długo nie mogła im wybaczyć tej decyzji. Siedziała rozgoryczona w granatowej spódniczce i śnieżnobiałej, kupionej specjalnie na tę okazję bluzeczce na kamieniu przy furtce i postanowiła nie ruszać się z niego do wieczora.

– To dziecko zbyt się przejmuje! – zawyrokowała Zofia. – A jak świat światem nawet bardzo uzasadnione troski nikomu jeszcze nie wyszły na zdrowie.

Rzeczywiście, Małgorzata dzień poprzedzający pójście do szkoły przypłaciła biegunką na tle nerwowym, na chwilę zaś przed wyjściem na uroczystość – straciła przytomność. Jakub podejrzewał ciężkie i tajemnicze schorzenie wywołane zjedzeniem czegoś nieświeżego, ale Alina nie miała wątpliwości, że jej córka ma po prostu słabe nerwy i nie wytrzymuje napięcia, które niosą ze sobą życiowe zmiany.

Małgosia od szkolnych zadań wolała przechadzki po przykościelnym bagnie, grzebanie patykiem w kartoflisku w poszukiwaniu grubych robaków dla ryb i inne tym podobne zajęcia zarezerwowane od wieków dla całych pokoleń anielińskich dzieci.

Nie uczyła się tak znakomicie jak jej matka, ale dzięki determinacji Aliny i z braku jakiejkolwiek naukowej konkurencji nie tylko bez trudu przechodziła z klasy do klasy, ale przez trzy pierwsze lata nauki zdobywała laury przysługujące najlepszym uczniom w szkole. Należały do nich głównie komplety używanych podręczników, zdemontowane z ławek kałamarze i inne tym podobne rzeczy, które dzieciom w wieku szkolnym są wprawdzie potrzebne, ale żadne z nich nie zadaje sobie tyle trudu, by dla ich zdobycia cierpieć nieludzkie katusze przy nauce kaligrafii.

Kiedy córka Aliny, a moja przyszła matka, opanowała najlepiej ze wszystkich dzieci w szkole sztukę pisania, czytania i rachowania (co, szczerze powiedziawszy, nie było aż takie trudne, zważywszy na to, iż dla większości mieszkańców Anielina analfabetyzm nie był powodem do wstydu ani też nigdy specjalnie im nie przeszkadzał) – dziewczynka postanowiła dać sobie spokój z nauką raz na zawsze. Oznaczało to mniej więcej tyle, że zdecydowała, iż jej noga więcej w szkole nie postanie.

– Właściwie to może lepiej – wzruszali ramionami sąsiedzi. – Mówi się, że na wsi potrzebna jest wykształcona młodzież. Ale lepiej, żeby to chłopcy się kształcili...

– Dlaczego? – dziwiła się Alina.

– Dla dziewczyny edukacja jest jak garb, jak kalectwo. Nikt nie zechce panny, która później zamiast w pokorze obrabiać gospodarkę męża, będzie mądrzyć się niczym jakiś profesor!

Babcia próbowała tłumaczyć, że czasy się zmieniają i już jej bratowej Urszuli udało się osiągnąć pozycję, o jakiej niejeden mężczyzna mógłby tylko pomarzyć. Szybko jednak się okazywało, że to, o czym marzą warszawscy mężczyźni i miejscowe baby, to dwie zupełnie różne rzeczy. A duże prawdopodobieństwo nieznalezienia męża i opiekuna przekładało się wprost na złamane życie i wieczną zgryzotę pod sztandarem staropanieństwa i odrzucenia.

– Jasna cholera! – przeklinała Alina, kiedy udawało jej się uwolnić od towarzystwa wszechobecnych doradców. – Czy Małgosia będzie kimś tylko wtedy, gdy któryś z ich tępych synalków zechce zaproponować jej dożywotnią, niewolniczą pracę na swojej gospodarce?!

Chwilę później Alina reflektowała się i nie była już pewna, kto się myli bardziej – ona czy ludzie całym swoim życiem kształtujący tutejsze zwyczaje i tradycje.

Przecież Tadeusz opuścił Ulę dla wariatki aktorki, wierzącej, że znaleziona w fortepianie kawka jest jej dzieckiem, a Jakub coraz częściej od jej towarzystwa wybierał pełne butelki.

Góral wracał do domu pijany jak bela, a nazajutrz, kiedy tylko udało mu się zwalczyć porannego kaca, zrywał dla niej kwiaty z łąk. Złościła się i miękła natychmiast, gdy w oczach męża pojawiały się łzy skruchy.

– Kocham cię! Kocham, najdroższa! Aluś, życie moje! – wykrzykiwał wówczas, lecz słowa te słyszała coraz rzadziej przy innych okazjach niż pijackie.

To były piękne momenty skruchy, tak piękne, że można się było od nich uzależnić, jak uzależniają się od złych emocji kobiety alkoholików. Jakub potrafił całować jej dłonie, przywrzeć ustami do stóp tak mocno, że czuła dawno zapomniany dreszcz pożądania i emocji. I mówił, błagał, zaklinał, groził, że jeśli go opuści, wyda na niego wyrok śmierci.

Nazajutrz szedł do gospody „na jednego". Ostatniego. Ostatni był często pierwszym z długiej serii palących gardło kieliszków płynnego ognia.

– Wszyscy piją. Tu piją wszyscy, taka nasza kultura – zapewniali z wyższością swoje kobiety kompani Jakuba. – Polak rodzi się z mocną głową, żeby pokonać nią inne narody.

Nikt nie miał powodu, by im nie wierzyć. Dumę z uprzywilejowanej pozycji wśród innych nacji całego świata można było albo wyssać z mlekiem matki, albo nabyć w anielińskiej gospodzie. Gdzieś między jedną kolejką a drugą.

Ryża Mańka pracowała teraz jako szynkarka. Przywiany ze wschodu socjalizm kazał każdemu obywatelowi znaleźć pracę, a że nie uwzględniał wśród szlachetnych komunistycznych zawodów najstarszej profesji świata, postawiono Mańkę za barem w gospodzie. Umiała liczyć i nieźle nalewać, natomiast jej swawolny charakter przyciągał sporą rzeszę gości.

Kierownikowi nie przeszkadzała ani jej marna reputacja, ani to, że jest znienawidzona przez kobiety, bo nie od dziś wiadomo, że i tak noga szanującej się niewiasty nie stanie w progach wiejskiej gospody. Słowem – Ryża Mańka była do tego interesu w sam raz. Jeśli coś mu się nie podobało, to chyba tylko to, że barmanka za bardzo lubiła męża miejscowej nauczycielki – Jakuba Górala.

Nigdy nie dolewała mu do wódki wody, podawała lepsze alkohole w cenie tańszych, częstowała swoimi papierosami. Kiedy Jakub był zbyt pijany, by samodzielnie wrócić do domu, odprowadzała go, wlokąc pod samą furtkę na własnych plecach.

Ma się rozumieć, że ofiarność Ryżej Mańki nie przypadła kierownikowi do gustu.

– Czy ty się czasem nie zakochałaś? – zapytał któregoś dnia.

– A jeśli nawet, to co? – odparła, patrząc na niego w charakterystyczny dla Mańki zadziorny sposób.

– Bo zakochany pracownik to zły pracownik! Tak samo w tej branży jak i twojej, mała...

Mańka prychnęła pogardliwie.

– Już nie robię w tej branży. I nie lubię, jak ktoś wypomina mi stare dzieje.

– Noo, mówiłem, że przez te amory biznes sobie popsujesz. I mnie przy okazji też – wyjaśnił kierownik gospody. – Nie wspominam nawet, że dzieciaka mam w szkole i nie potrzebuję awantur z nauczycielką.

– Mam gdzieś twojego dzieciaka! – Ryża Mańka pochyliła się, by pokazać, co sobie robi z trosk szefa. – Nie będę poświęcać ani dla niego, ani dla jakiejś zakichanej nauczycielki swojego szczęścia.

– Chyba nie myślisz, głupia babo, że *ty* ułożysz sobie życie z mechanizatorem?! – kierownik krztusił się ze śmiechu.

– Zobaczymy... – wycedziła szynkarka, a jej głos zabrzmiał ostro. – Zobaczymy...

* * *

Jakub Góral nie pojawił się w gospodzie przez tydzień. Nie przyszedł nawet w sobotę po pracy, kiedy można było tu spotkać całą męską część wsi w komplecie. Wszystkim brakowało towarzystwa wesołego kompana, a on sam, siedząc w domu, też tęsknił za tętniącą testosteronem atmosferą knajpy.

Mężczyźni muszą mieć swoje terytorium, kilka metrów kwadratowych miejsca, gdzie papierosy gasi się obcasem buta i opowiada historie tak pieprzne, że żadna ciesząca się zdrowym rozsądkiem kobieta nie dałaby im wiary.

Jakub nie miał natury męczennika, więc cierpienie w milczeniu i pragnienie, jakie przyniosła ze sobą całotygodniowa bezalkoholowa posucha, przerastały jego możliwości.

Nic więc dziwnego, że w środę po awanturze w biurze i nerwowej krzątaninie w domu zdecydował:

– Wychodzę!

Alina milczała.

– Nic nie powiesz? Nie powstrzymasz mnie?

Dalej nic.

– Cholerne baby. Wydaje się wam, że będziemy żyć od śniadanka do obiadku, od obiadku do śniadanka, a później siedzieć jak jakieś tresowane psy na waszych wymuskanych, przykrytych haftowaną serwetką krzesełkach?! Duszę się! Duszę!!!

Jakub zerwał się z krzesła, mnąc w dłoni ściągniętą z siedzenia serwetę.

– Chyba zawsze wiedziałam, że kiedyś tak się stanie... – Alina odwróciła oczy od męża. – Kiedy przyjechałeś, Mańka, wiesz, ta... ta ruda, poinformowała mnie o twojej reputacji, a teraz znowu mówią o niej i o tobie.

– Co?! Ryża Mańka i ja?! Co za bzdury. A zresztą wierz, w co chcesz!

Mężczyzna cisnął serwetkę na podłogę i wyszedł, trzasnąwszy drzwiami. Ponieważ nie wziął ze sobą ani kurtki, ani portfela z pieniędzmi, Alina nie miała wątpliwości, że musiał pójść do Ryżej Mańki. Do jedynej występnej kobiety w Anielinie. Jedynej prostytutki, jaką znała.

Sporo myślała tej nieprzespanej nocy, aż doszła do wniosku, iż wszystkie znaki, jakich przez całe swoje życie uczyła się czytać z ziemi, wody i głosów ludzi, wskazywały, że nie będzie jej dane zaznać wielu lat szczęścia z mężczyzną u boku. Czy mogło to dowodzić, iż gdzieś w niebie zapisano dla niej celibat? Alina zapłakała gorzko nad swoim losem, z góry dziękując świętemu Jerzemu za to, bądź co bądź późne, ale zawsze – oświecenie.

Pisemne zaprzysiężenie dozgonnej czystości, jakie moja babcia nazajutrz rano wręczyła zdumionemu proboszczowi, miało być zadośćuczynieniem za popełnione grzechy i ubezpieczeniem, gdyby na przyszłość postanowiła lekkomyślnie zmienić złożone w nocy śluby i raz jeszcze zaufać mężczyźnie.

Anielin huczał od plotek. O ile dla większości mieszkańców celibat mojej dobiegającej czterdziestki babki wydawał się tylko dziwactwem niewartym większej uwagi, o tyle wszystkim wiadomo było, że dla żyjącego z nią mężczyzny będzie to ciężki cios. Takiej ujmy na honorze nie można zapomnieć!

Jakub Góral pił przez tydzień, potem drugi, lecz zgryzota spowodowana wstydem nie ustępowała. W urzędzie gminy z litości dano mu zaległy urlop i pokój na poddaszu do przeczekania fali słusznego gniewu, jaka zalałaby chyba każde męskie ego, które za nic sobie ma wyroki boskie nakazujące *ich własnym* kobietom wstępować w szeregi cywilnych zakonnic.

Góral rozważał nawet honorowe samobójstwo, lecz to wyjście jawiło mu się jako zbyt kłopotliwe. Nie tylko bowiem musiałby wybrać odpowiednie miejsce i czas, ale i sposób. A każdy, który przychodził mu do głowy, był albo za mało estetyczny, albo za mało widowiskowy, by skruszyć serce sprawczyni jego hańby.

Jedynie Ryża Mańka nie była oburzona postępowaniem Aliny. Wydymała usta i wzruszała piegowatymi ramionami, kiedy mężczyźni w barze zastanawiali się, czy nie jest to aby wybieg żony Jakuba mający pokryć seksualną niemoc starości. Nikt bowiem lepiej od niej nie wiedział, iż dojrzałe kobiety, w przeciwieństwie do mężczyzn, nie tylko mogą, ale i chcą *to* robić – nawet bardziej niż wcześniej, w nieśmiałej i płochej młodości.

– Znajdą się inne na jej miejsce – odpowiadała wszystkim „szczerze współczującym", widząc się jednocześnie w ramionach przystojnego mechanizatora.

– Znajdą, znajdą – potakiwali podchmieleni chłopi przy bufecie. – Ale takie, co każdemu dają, nie są warte tego, by życie spędzać u ich boku, więc lepiej wybij go sobie, Mańka, z głowy. Bo on nie dla ciebie. Wykorzysta i rzuci.

Barmanka odwróciła się tyłem do sali, zagryzając wargi do krwi. Nikt z nich nie wiedział, jaką potężną bronią jest seks – nikt oprócz niej.

– Jesteście głupimi, wiejskimi burakami! – rzuciła wściekle w stronę bufetu.

Nikt jej jednak nie słuchał, bo w radiu nadawali właśnie prognozę pogody – jedyny na świecie program, który interesował ludzi z Anielina.

– Rozumiem cię...

– Co?! – Alina odwróciła się gwałtownie na dźwięk głosu dochodzącego zza rogu stodoły.

Cień na podwórku zmaterializował się w postać Mańki. Alina zamarła. Prawie nigdy nie rozmawiała z tą kobietą, bojąc się jej napastliwego wzroku i ostrego języka, lecz teraz wydawała jej się zwyczajna, wręcz szara. Może dlatego, że późną polską jesienią, kiedy słońce prawie nigdy nie wschodzi ponad horyzont, szare jest niemal wszystko.

– Co pani tu robi?

– E, tam... Jaka pani...

– Powiedziała pani... Powiedziałaś coś dziwnego...

– Że cię rozumiem? Czy to takie dziwne?

Alina uśmiechnęła się. Przypomniała sobie, że rozmawiała dziś ze starą Wejcherkową, która zapewniała ją o tym samym.

Wejcherkowa nienawidziła seksu ze swoim mężem, który miał zwyczaj kochać się wyłącznie na kolanach, od tyłu, głęboko wierząc w antykoncepcyjną skuteczność tej pozycji. Niestety, nawet regularne porody Wejcherkowej nie wpłynęły na zmianę jego przekonań.

Kobiecina odetchnęła z ulgą ponoć dopiero po śmierci Wejcherka i żałowała szczerze, że nie wpadła wcześniej na pomysł z bogobojnym celibatem, który pomógłby jej wyzwolić się od niechcianych amorów małżonka. Alina, myśląc o niej, nie mogła uwierzyć, że znana z rozpusty Mańka ma podobne dylematy.

Swoją drogą – pomyślała – aż dziwne, jak błaha i osobista decyzja może spolaryzować społeczeństwo. Chyba nigdy we wsi nie mówiło się tyle o tajemnicach alkowy, co teraz.

– Rozumiem, że jest ci ciężko – wyjaśniła Ryża Mańka.

Alina już miała odrzec, że ta odpowiedź ją uspokoiła, ale nie odezwała się z obawy, by nie wypadło to zbyt cynicznie.

– Właściwie dlaczego miałoby mi być ciężko?

– Bo straciłaś Jakuba.

– Może to on mnie stracił?

– Może. Może to nie był mężczyzna dla ciebie? Wiesz, o co mi chodzi...

– Doskonale wiem! Że sypiał z tobą, będąc moim mężem?

Mańka zawahała się. Tak, ta kobieta była najwidoczniej zazdrosna, choć zbyt wierny i prostolinijny

Jakub nigdy nie dał jej do tego powodów. Przez głupią pychę stracić takiego faceta!!!

– Idiotka – wycedziła przez zęby.

– Słucham?

– Idiota. Powiedziałam: idiota. O Jakubie. Że cię zdradzał. – Mańka zniżyła głos. – Ale teraz chyba nie będziesz miała żalu, jeśli się z nim zwiążę. No, wiesz... taka babska solidarność. Wolę wiedzieć, że nie staję ci na drodze.

– Nie stajesz!

Alina odwróciła się i szybko pobiegła ku domowi, by ukryć łzy wściekłości.

– Więc jednak! Jednak! – wyła, waląc pięściami w pościel. – Zdrajca!

Tej nocy śniło jej się, że Jakub sprowadził do domu Ryżą Mańkę i zaproponował jej seks w trójkącie. Odmówiła, słusznie tłumacząc się zaprzysiężoną abstynencją. Wówczas zrobili to we dwoje, on i Mańka, puszczająca bez przerwy do niej figlarnie oko i mówiąca coś o babskiej solidarności. Wtem na łóżku pojawił się Wołodia – jak zwykle nagi i beztroski. Alina spoglądała na zmianę to na jego zarośniętą twarz, to na obnażone krocze.

– Nu, maleńka – zachęcał, pokazując na przytroczone do łóżka kajdany. – Ja znaju, kak tiebie zrobić dobrze. Nu, poszła ka mnie...

Wołodia potrząsał kajdanami, a Alina przesuwała się ku drzwiom, nie mogąc nijak liczyć na pomoc zajętej igraszkami pary.

– Ty chcesz iść w celibat, bo mnie nie stało, da?

No, ale teraz jestem i zrobię to tak, jak lubimy. Ty i twój Wołodia!

W tym momencie Wołodia zrobił się siny jak wówczas, gdy wyciągała go z lodowego przerębla. Przerażona Alina obudziła się zlana potem.

Nie wiedziała, czy to był sen, czy ten koszmar dział się naprawdę. Nadsłuchiwała trwożnie, jakby zaraz zza łóżka miały wypełznąć zimne zwłoki Wołodii.

W ciemne jesienne wieczory nieraz trudno jest odróżnić rzeczywistość od fikcji.

* * *

– Daj spokój, to fikcja! – roześmiałam się. – Sądzisz, że kupię pałac? Tylko dlatego, że pracuję w dużym mieście?

– No, nie wiem... – Mariusz zawahał się. – Widziałem cię w Anielinie, jak kręciłaś film z tymi Amerykanami... Czy to prawda, że z samego Hollywood?

– Prawda – uśmiechnęłam się na wspomnienie przygody z filmem. – Ale płacili mi za słabo, żebym mogła pozwolić sobie na pałacyk myśliwski.

– Aha... – zmartwił się. – Może po następnym filmie?

– Jesteś szalony, Mariusz! – Wzięłam go pod ramię i zaprowadziłam w stronę pokoju zabiegowego.

Ucieszyło mnie to niespodziewane spotkanie w szpitalu. Zapomniałam o dawnym szkolnym koledze, tak jak z czasem zapomina się o zabawkach z wczesnego dzieciństwa. Mariusz niewiele się zmienił, choć zmężniał i wyprzystojniał. Z opowiadań babci, która chętnie raczyła mnie opowieściami z życia dawnych znajomych, wiedziałam, że skończył Akademię Muzyczną i zamiast wzorem swego pokolenia szukać pracy w biznesie, wrócił do Anielina, by uczyć dzieci. Nie miałam odwagi zapytać go, czy jest szczęśliwy, choć wyczuwałam, że powodzi mu się znacznie lepiej niż mnie.

– Twoja kolej! – wskazałam na złamane ramię.

Właśnie z gabinetu zabiegowego wyszło małżeństwo z małym dzieckiem i kolejkowicze ponaglali Mariusza, by wszedł zgodnie z ustaloną kolejnością i nie marnował ich czasu. Podałam mu kurtkę, lecz chłopak się wahał.

– Fajnie jest spotkać kogoś znajomego i pomyślałem, że rehabilitacja może poczekać, a w tym czasie może pójdziemy gdzieś pogadać? – zaproponował niepewnie.

Bezwiednie porównałam go z Peterem, zawsze pewnym, zdecydowanym i... sama nie wiedziałam, czy było to porównanie na niekorzyść, czy wręcz odwrotnie.

– Poczekam na ciebie – zapewniłam, wpychając go do gabinetu. – Skoro znamy się od piaskownicy, pół godziny w poczekalni to dla nas pestka!

Mariusz spojrzał na mnie z wdzięcznością.

Miałam chwilę czasu, żeby skonsultować swoje wyniki badań z lekarzem. Falber musiał bardzo martwić się o moje zdrowie, skoro załatwił mi wizytę u samego ordynatora neurologii. Opowiedziałam specjaliście o omdleniach. Przekazałam mu także najświeższe informacje dotyczące życia pisarza (ten temat interesował go nie mniej niż moje zdrowie), po czym, pożegnawszy się w serdecznej atmosferze, wróciłam do poczekalni.

Schlebiało mi uznanie szkolnego kolegi, choć świetnie wiedziałam, że nie zasłużyłam na nie. Od lat nie mieszkałam w Anielinie, co z perspektywy ludzi, którzy tam zostali, już mogło wydawać się sukcesem. No i ten film Antka Szulca! Powinnam sprostować wszystkie nieporozumienia narosłe wokół mojej osoby, ale zamiast tego brnęłam dalej w niedomówienia, upajając się błyskiem w oku Mariusza. Teraz, kiedy już wyszedł z gabinetu zabiegowego, uświadomiłam sobie, że jest po prostu zwykłym, ciepłym chłopakiem, którego głupio byłoby mi zawieść.

– Szkoda, że nie stać cię na kupno pałacyku – martwił się Mariusz. – To zupełnie świeża wiadomość i boję się, że kiedy się rozejdzie, kupi go ktoś nieodpowiedni.

– Też bym tego nie chciała...

Nie bacząc na fakt, iż za pół godziny powinnam zjawić się w pracy, zaproponowałam Mariuszowi kawę gdzieś z dala od przygnębiającej atmosfery szpitala. Po raz pierwszy od dłuższego czasu czułam się, jakbym się urywała na wagary.

Wieczorem analizowałam dzisiejszy dzień, łapiąc się co rusz na tym, że przy każdym wydarzeniu zadaję sobie pytanie, co powiedziałby na to Peter. Prowadzony w wyobraźni bezgłośny dialog z prawnikiem przerwał mi sygnał telefonu. Serce załopotało mi nadzieją, że to dzwoni Peter. Do mnie.

Tymczasem to Andrew Szulc donosił, że przeszedł pomyślnie na Florydzie kurację wspomagającą przemianę wewnątrzkomórkową i osmozę czegoś, czego nazwy nie potrafiłam przetłumaczyć nawet z opasłym, jak trzy Biblie razem wzięte, słownikiem języka angielskiego. Kosztowała majątek, lecz jak się wyraził, postawiła go na nogi na tyle, że znów przypomniała mu się pokusa, jaką była dla niego moja cioteczna babka. W związku z tym miał zamiar niezwłocznie udać się do Polski. Załatwił sobie nawet sztab miejscowych pielęgniarek, zgodę na lądowanie prywatnego boeinga i tym podobne rzeczy. Ja miałam mu towarzyszyć tylko w razie potrzeby.

– Okey, okey – powtarzałam automatycznie, naśladując amerykański akcent rozmówcy. – To dla nas wielki zaszczyt.

W głębi serca myślałam tylko o jednym: Peter... Peter... Peter... Imię to kołysało mi się w głowie jak statek na wzburzonym Bałtyku.

W ciągu następnych kilku dni dzielących mnie od spotkania Andrew Szulca i, jak mniemałam, Petera Adamsky'ego zapomniałam o nieoczekiwanym spotkaniu z kolegą ze szkolnej ławy Mariuszem, sprzedaży anielińskiego pałacyku, a nawet o sympatycznym liście od ojca i Gerty.

Już nie potrafiłam słuchać ani ludzi w sklepie na

rogu, ani Jerzego dyktującego mi kolejny rozdział swojej powieści, cały zmysł słuchu przekierowałam bowiem ku białej skrzynce telefonu w oczekiwaniu na sygnał od prawnika.

Czyżbym miała spotkać Petera jeszcze w tym tygodniu? Wszystko, co działo się wokół mnie i tajemniczego, męskiego głosu z Kalifornii, wydawało mi się tak fantastyczne, że aż nierealne. Jedyne, co mnie martwiło, to dlaczego prawnik nie powiadomił mnie o swoim przyjeździe jeszcze przed Andrew?

Po dwóch dniach zaczęłam podejrzewać, że zgubił mój numer telefonu, a po trzech, że śmiertelnie zachorował i leży bez czucia w jakiejś bezdusznej amerykańskiej klinice, marząc o chwili powrotu do ojczyzny przodków.

Tymczasem postanowiłam zrobić niespodziankę Andrew i wyjść mu na spotkanie na lotnisko.

Gest ten kosztował mnie niewiele, a staruszkowi mógł dostarczyć wielu wzruszeń...

* * *

Małgosia przyjechała na swoje ostatnie wakacje z pierwszym dniem lipca. Już dawno zdążyła zadomowić się w nowej, specjalnej szkole na Krzywiu, znanej z tego, że uczono w niej zawodu wszystkich, dla których progi zwykłych szkół były z różnych powodów nieodpowiednie. Uczęszczały do niej dzieci opóźnione w rozwoju, leniwe i nieprzystosowane. Ale po korytarzach biegały także dzieci emigrantów, Cyganów i opozycjonistów. Nieobjęte kuratelą opiekuńczego państwa, zbędne i niechciane – tak jak ich rodziny.

Poziom nauczania w szkole był dość przeciętny, a i tak Małgorzata przywiozła ze sobą dużą stertę książek z pozaznaczanymi fiszkami zaległościami do nadrobienia w wakacje.

– Świat to nie tylko książki, Małgosiu – przekonywała ją babcia Zosia.

– A co jeszcze?

– Weźmy na to miłość albo samego świętego Jerzego – Zofia nie miała wątpliwości. – On zawsze był moim światem i jakoś nigdy się na nim nie zawiodłam.

– W szkole mówią, że świętych nie ma. Nawet Boga.

– Doprawdy?! – Zofia nie mogła wyjść ze zdumienia. – Ciekawe zatem, jak by w tej twojej szkole wytłumaczyli pojawienie się na moim dachu twojego dziadka?

– Myślę, że awarią samolotu.

– Niesamowitych bzdur uczą teraz dzieci!!!

Mówiąc te słowa, Zofia oddalała się w głąb sadu, aby porozmawiać spokojnie z Jürgenem i świętym Jerzym o dziwach, jakie dziś usłyszała od własnej wnuczki.

– Przekazać coś od ciebie Jürgenowi, Żabciu?

– Nie trzeba, babciu. Już nie wierzę w duchy.

Zofia tylko ciężko westchnęła nad moralną kondycją współczesnej młodzieży i podpierając się laską, ruszyła w stronę ulubionej ławeczki.

Podstarzały Bobik kręcił się wokół nóg. Zmienił się tak jak wszystko dookoła. Małgorzata kończyła osiemnaście lat. Jakub Góral dostał doskonałą posadę w firmie produkującej maszyny rolnicze i wyjechał na wieloletnią delegację na Śląsk. Ryża Mańka ruszyła w ślad za nim i chodziły słuchy, że w zdominowanym przez mężczyzn górniczym zagłębiu doskonale sobie poradziła. Ktoś (podobno) widział ją w nowiuteńkim płaszczu i czapce z lisów, identycznej, w jakiej chodziła znana aktorka ze stolicy.

– Też chciałabym mieć taką! – marudziła Małgosia.

– Nie ma przeszkód. – Alina ze stoickim spokojem gładziła psią sierść. – Jak zdobędziesz wykształcenie i pracę, sama sobie taką kupisz. Na razie jednak nie spieszy ci się ani do jednego, ani do drugiego.

– Phi! – babcia Zofia wydęła pogardliwie usta. – To mężczyźni powinni kupować futra kobietom, taka jest zasada i basta. Która się z tego wyłamuje, budzi słuszne podejrzenia, że jej czas minął.

– Czas, o którym mówisz, mamo, minął już tak dawno, że wydaje mi się, iż nigdy go nie było...

Kobiety z Anielina pracowały teraz w gminnej spółdzielni, a mężczyźni w pegeerze, który był polskim odpowiednikiem ruskiego kołchozu. Choć robota w państwowych zakładach miała swoisty urok, nikt nie miał wątpliwości – wieś upadała.

Mężczyźni pili więcej niż przed wojną, mimo iż państwo zakazywało pędzenia samogonu pod karą więzienia. Utarło się zresztą przekonanie, że bez wódki w tym kraju nic nie uda się załatwić. Dało ono początek nienotowanemu w skali wieków łapówkarstwu i handlowi wymiennemu.

Wieś przestała też stanowić krajowe zagłębie rzepaku i lnu, a stare drewniane maszyny do tłoczenia oleju próchniały, zżerane przez wilgoć i korniki.

Jedynie drzewko zasadzone przez Jürgena trwało odporne na kaprysy pogody i silne. Nikt już nie pamiętał, że przyjechało z dalekiego południa, że wypoczywał pod nim Chrystus albo że było darem Ateny dla umiłowanego kraju. Teraz było po prostu zwykłym zdziczałym drzewem niewiadomego pochodzenia, które nigdy nie owocowało i owocować nie miało. Nie wydawało ani śliwek, ani jabłek, ani nawet pospolitych gruszek ulęgałek, którymi żywią się tylko ptaki i leśna zwierzyna.

Czasami tylko Zofia opowiadała Małgosi bajki o małych jak ziarno bobu oliwkach, z których ciemnoocy, piękni Grecy tłoczą najlepszy olej na świecie. A ten najlepszy z najlepszych uzyskuje się z pierwszego, dziewiczego tłoczenia.

– Nazywają go extra vergine... – kończyła w zadumie opowieść, nie będąc do końca pewna, czy to, co przekazuje wnuczce, jest prawdą czy też baśnią, którą wymyślił Jürgen, aby przerwać monotonię anielińskich nocy i dni.

* * *

Antek Szulc musiał być rzeczywiście bardzo bogaty. Ludzie czekający ze mną na lotnisku szeptali, że boeingowi, którym podróżował, towarzyszyły dwa mniejsze samolociki. Zabrał także ze sobą amerykańską karetkę reanimacyjną. W hallu lotniska, oprócz tłumu ciekawskich, czekały na niego natomiast dwie ekipy regionalnej telewizji i ludowy zespół pieśni i tańca z dyrygentem podnoszącym co chwila fałszywy alarm, na który zespół z energicznym przytupem zrywał się do oberka, po czym, speszony falstartem, wracał po cichu na miejsce.

Prezenter lokalnych wiadomości mówił do wiszącej na ramieniu wysokiego chłopaka kamery, że właśnie wraca z zagranicy wybitny polski filmowiec pan Andrew Szulc, który prawdopodobnie myśli o nakręceniu w naszym kraju prawdziwej superprodukcji.

Nadstawiłam uszu. Oczekiwałam, że teraz padną słowa o głównym celu wizyty milionera, o Stasi Mutter i mojej rodzinie, ale zamiast tego prezenter zaczął przekonywać wpatrzone weń oko kamery, że film ów będzie prawdziwym dowodem patriotyzmu Polaka powracającego do matki-ojczyzny.

– Tak jak on wraca teraz wielu, by udowodnić, że Europa Środkowa rozwija się i rośnie w siłę swą gospodarką i – tu wymownie zawiesił głos – filmową kulturą.

Zadowolony z siebie prezenter odpiął mikrofon z klapy marynarki i ruszył w stronę stanowiska przylotów. Ja, korzystając z rozstępującego się przed telewizyjną sławą tłumu, pewnym krokiem ruszyłam za nim. Dzięki temu mogłam od razu ujrzeć w pełnej krasie niedoszłego konkurenta ciotecznej babci Stasi.

Andrew Szulc na oko mógł mieć równie dobrze lat dziewięćdziesiąt, co i sto pięćdziesiąt. Jego naciągnięta liftingami twarz sprawiała smutne wrażenie kompletnej niemocy. Istotnie, mimika multimilionera ograniczała się do mrugania oczami. Z kolei usta, dziwnie młodzieńcze i pełne, odsłaniały ogromny i kompletny garnitur śnieżnobiałych zębów, zdradzających, niczym rządowy paszport, amerykańskie obywatelstwo przybysza.

Na łysą głowę Andrew naciągnął bejsbolową czapeczkę. Jej lewą część pokrywały barwy flagi amerykańskiej, prawą – polskiej.

Towarzyszyło mu dwóch imponujących wzrostem ochroniarzy i spora grupa hałaśliwie dyskutujących Amerykanów. Niestety, nie udało mi się spośród nich wyłowić wzrokiem Petera, choć stawałam na palcach i z całych sił wypatrywałam kogoś, kto mógłby pasować do wizerunku właściciela tak niepokojąco seksownego głosu.

Obok mnie przeciskała się chuda jak kościotrup, bardzo jasna blondyna z włosami upiętymi w kok *à la* Ivana Trump. Uśmiechnęła się do mnie, a ja odwzajemniłam uśmiech.

– Pani z press, z television? – zapytała i nim zdołałam odpowiedzieć, wcisnęła mi w dłoń trzeszczącą, suchą rękę. – Adamsky. Nazywam się Adamsky i jestem pomocnicą pana Szulca.

Już, już miałam się upewnić, czy dobrze usłyszałam nazwisko, gdy blondyna machnęła energicznie w stronę niskiego grubasa z zabandażowanym przedramieniem.

– Darling, pani z press-agency, chce z nami porozmawiać!

Grubas niezgrabnie odmachnął zdrową ręką, po czym zaczął przeciskać się w naszym kierunku.

– To mój husband, mąż, znaczy się – wyszczerzyła z dumą zęby pani Adamsky. – A to nasze pociechy!

Zdębiałam. Za grubym mężczyzną wlokło się trzech znudzonych, niezadowolonych, otyłych i bardzo pryszczatych nastolatków.

Nie wiem, jakim cudem udało mi się uciec z lotniska. A już na pewno nie pamiętam, jak dotarłam do domu. W każdym razie zrozumiałam, co oznaczała Śmierć na karcie Kiki. Umarły dziś boleśnie wszystkie moje nadzieje i fantazje. Wraz z nimi – ja. Zdruzgotana, nie miałam nawet siły opłakiwać złudzeń o pięknym Peterze z głosem anioła.

* * *

Falber z właściwym mężczyznom taktem zdziwił się, że zamiast spędzać czas z Kalifornijczykami, przyszłam z zapuchniętą od niewyspania twarzą do pracy. Najgorsze miało jednak dopiero nastąpić.

Andrew Szulc chciał poznać mnie osobiście. Oczywiście, swoim zwyczajem – niezwłocznie. Na pomoc Falbera w wymyśleniu sensownego wykrętu nie miałam nawet co liczyć. Prababcia Zofia pospołu z Aliną nakładły mu do głowy, że potrzebuję dużo rozrywki i męskiego towarzystwa, a pisarz najwidoczniej nie chciał ich zawieść.

Andrew Szulc i jego świta wynajęli duży dom na peryferiach miasta. Z relacji taksówkarza dowiedziałam się, że staruszek przyjął już prezydenta miasta i wszystkich lokalnych radnych, chcących wyciągnąć jego amerykańskie dolary na różne mniej lub bardziej szlachetne cele.

– A pani, co? Też myśli zarobić?

– Chyba pan żartuje!

– Wszyscy chcą coś mieć z tego zamieszania, więc wątpię, by młoda kobieta jechała do tego milionera bezinteresownie.

Wścibski taksówkarz zaczął opowiadać o programie, jaki oglądał w swojej kablówce, gdzie młode dziewczyny rywalizowały o względy nieznanego im bogacza. Stawką miał być ślub z jedną z nich. Program ów kierowca uznał za bardzo rzeczowy i potrzebny społecznie, nie tylko bowiem dawał sędziwemu bogaczowi możliwość spędzenia resztki życia w towarzystwie atrakcyjnych panien, ale – co taksówkarz szczególnie podkreślał – rozładowywał recesję na rynku pracy, pozwalając przynajmniej jednej bezrobotnej piękności znaleźć godziwe utrzymanie na garnuszku męża.

Chyba nie do końca pojmowałam, o co dokładnie chodzi szoferowi, bo niezwłocznie pospieszyłam z wyjaśnieniem:

– Jestem dla Andrew kimś w rodzaju krewnej.

Popatrzył na mnie przez wsteczne lusterko, wzdychając z zazdrości.

– Ech, niektórym to się życie układa!

– Ech! – westchnęłam w ślad za nim.

Niestety, z zupełnie innego powodu...

Koleje życia zmieniają się z prędkością mknącej strzały i to, co było nie do pomyślenia wczoraj, dziś stało się rzeczywistością. Szłam korytarzem wynajętego domu Andrew i modliłam się, by nie spotkać Petera, mojej wielkiej telefonicznej fascynacji. Tymczasem od wczoraj nawet w myślach nazywałam go już tylko panem Adamsky – mężem Mrs Adamsky i ojcem trójki dzieci. Nie chciałam ponownie przeżywać znanego z lotniska upokorzenia rozczarowanej kobiety.

Zamiast niego natknęłam się na jego przeraźliwie chudą żonę, oryginalnie przyodzianą w gorset i futro. Wychodziła właśnie z pokoju milionera.

– Oh, znowu press? – zdziwiła się. – Pan Szulc musi was znosić całymi dniami!

Powiedziawszy to, obróciła się na gigantycznym obcasie i poszła w swoją stronę.

– Widzę, że poznała już pani panią Lindę Adamsky! – ucieszył się Andrew, z którym nieomal się zderzyłam w drzwiach, energicznie potrząsając moją ręką. – Miło cię widzieć, Dżulia!

– Julia.

– Of course, Dżulia...

Z zaciekawieniem przyglądałam się jego wielokrotnie odrestaurowywanej twarzy, próbując dociec, co czuje człowiek schowany za plastikową fasadą przykrywającą sen o wiecznej miłości.

– I jak? W Polska nie macie tak dobrze wyglądających ludzi w średnim wieku, prawda?

Potwierdziłam z pełną świadomością, że go okłamuję, lecz dobre wychowanie nie pozwalało mi niszczyć czyichś złudzeń. Częściowo zresztą wyglądał bardzo młodo, lecz i to w połączeniu z innymi, bardziej podstarzałymi fragmentami skóry prezentowało się mocno karykaturalnie.

Pocieszałam się, że skoro Antek Szulc pięknie się uśmiecha, postaram się powściągnąć niezdrową ciekawość prowincjuszki i skupię się na jego ustach. Było to o tyle trudne, że on nie starał się zachowywać żadnych pozorów i oglądał mnie bez zażenowania.

– Hmm... Jest nieco inaczej, niż myślałem. Stanisława była uśmiechnięta, a ty jesteś jakaś taka smutna...

– To przez... – odruchowo wskazałam na odchodzącą panią Adamsky.

– Przez Lindę?

– E, niezupełnie. Raczej przez jej rodzinę i... – pogrążałam się coraz bardziej.

– Straszne bachory! Nie ma czego zazdrościć, moja droga, choć pewnie i ty kiedyś się dorobisz takiego przychówku. Ale... – dał znak, bym się do niego pochyliła – coś ci wyznam w sekrecie, co niewątpliwie poprawi ci humor.

– Naprawdę?

– Ona – zachichotał konspiracyjnie – sama nawet

dobrze nie wie, z kim ma te dzieci, bo inaczej ściągnęłaby pewnie jakieś przyzwoite alimenty. A tak męczy tego biednego osła, swojego męża, który musi utrzymywać tę niezrównoważoną umysłowo ferajnę

Jęknęłam słabo.

Więc sprawy mają się gorzej, niż przypuszczałam. Peter wychowuje nie swoje dzieci, jego żona jest dziwką, a o nim samym nawet własny szef mówi, że jest osłem.

– Jak ja się mogłam tak pomylić! – załamałam ręce.

– Sama pani widzi – ucieszył się. – Ludzie w Ameryka mają pokręcone losy. I to wszystko przez pieniądze. – Staruszek wygodnie rozparł się w fotelu. – Zdradzę pani życiową prawdę: pieniądze szczęścia nie dają.

Jęknęłam ponownie. Tym razem bardziej z przyzwyczajenia niż z przekonania.

– Ale wy, na Wschodzie, jeszcze tego nie rozumiecie. Budujecie swój malutki kapitalizm. Kupujecie domy, samochody, złoto i chcecie jeszcze więcej. Przychodzicie potem do mnie po money jak do banku. Dzisiaj na przykład był tu wasz prezydent miasta i senator. Wiesz, czego chcieli?

– Pieniędzy? – próbowałam zgadywać.

– Yes! Dolarów!

– Politycy zawsze chcą pieniędzy, lecz ja nie jestem politykiem – wyjaśniłam. – Przyszłam tylko dlatego, że mnie pan zaprosił.

Oczywiście, w domyśle pozostawała kwestia tych

siedmiuset dolarów, które wzięłam za zdjęcia próbne, ale tym razem grałam fair.

– Nie jesteś politykiem, ale jesteś kobietą, a to druga grupa wysysaczy pieniędzy. Taka choćby Linda Adamsky...

– Wiem, wiem... biedny Peter!

– To jego też chce złupić? Nie wiedziałem. No tak, dziadek miał sklerozę.

– Sam pan powiedział, że zdziera skórę z męża.

– Z Joshua, right, ale nie z Petera. Jej młodszy brat to za bystra bestia. Inteligentny syn Ameryki, dlatego wciąż pozostaje wolny.

„Myśl! Myśl! Myśl!" – krzyczało coś we mnie, lecz w głowie panowała kompletna pustka. Nie do końca docierał do mnie sens słów Szulca, tym bardziej że już powoli zaczęłam się przyzwyczajać do istnienia chudej pani Adamsky, a nawet pryszczatych nastolatków. A teraz w mojej duszy zaczęła świtać złudna nadzieja, że istnieje powrót do świata złudzeń i snów.

Niestety, wiedziałam z doświadczenia, że to nie wróży nic dobrego.

* * *

Małgorzata była leniwa i do perfekcji nauczyła się ukrywać ten drobny defekt. Przeprowadziła się do miasta, do niewielkiego mieszkania w kamienicy, gdzie zamieszkała z młodym studentem politechniki Karolem Bałuckim.

Córka Aliny szybko stwierdziła, że mieszczuchom obcy jest ideał „kobiety robotnicy", tak popularny w gospodarstwach wiejskich. Ładny strój i zadbana twarz potrafiły zdziałać tu więcej niż spracowane na roli ręce. W mieście ludzie nie śnili po nocach o rolniczych maszynach i pracy na własnej, niepegeerowskiej ziemi. Zamiast tego kupowali sobie telewizory, gramofony Bambino i sukienki bombki, upodabniające zwykłe dziewczyny do pewnej francuskiej gwiazdy o migdałowych oczach i z blond kucykiem.

– Na tym polega sukces – westchnęła Małgosia, wpatrując się w witrynę komisu. – Słuchasz mnie, Karolku? Powinnam używać zachodnich kosmetyków, bo te sprowadzane z ZSRR nadają się najwyżej dla mało wymagającej skóry kołchoźnic!

Mojej matce nie brakowało inteligencji, by zrozumieć, że dyskomfort bycia w ciąży można wykorzystać w dobrze pojętym własnym interesie.

Kobiecie noszącej w brzuchu zalążek życia przysługiwał dodatkowy abonament na towary luksusowe, dodatki z opieki społecznej i pierwszeństwo we wszystkich kolejkach. Mogła się również starać o większe mieszkanie, pożyczkę w pracy i wiele niedostępnych zwykłemu śmiertelnikowi przywilejów.

Najważniejsza jednak była przyjemność nicnierobienia. Beztroska obserwowania, jak czas przecieka między kartkami niezapełnionych żadnymi obowiązkami, pustych kalendarzy.

Moja matka wyobrażała sobie, że tak właśnie musi

wyglądać zachodni kapitalizm, a życie ludzi w Ameryce oparte jest na wyznawanych przez nią zasadach hedonistycznych. Dziwiła się, że Karol był innego zdania i stanowczo odradzał żonie dzielenie się swymi opiniami z krewnymi, sąsiadami z kamienicy, a zwłaszcza z ludźmi pracującymi w państwowych urzędach.

Sam wierzył w potencjał człowieka czynu i jakkolwiek po cichu marzył o kieszeniach wypchanych dolarami, frankami i markami, to zdobycie tych bogactw wiązał raczej z ciężką pracą na czarno niż ze zmianą systemu.

O dziwo, oryginalne poglądy Małgosi spodobały się wielu ludziom. Im głośniej przekonywała, że socjalizm nie prowadzi do niczego dobrego, w tym większym stopniu uchodziła za osobę wrażliwą i dobrze poinformowaną. Nawet niektórzy znajomi rodziców, omamieni wyniosłym stylem życia mojej matki, zaczęli rozpuszczać plotki o jej rzekomym semicko-sanackim pochodzeniu. Nieukończenie rządowych szkół tylko potwierdzało te osobliwe przypuszczenia.

* * *

Od dawna krążyły pogłoski o wielkiej powieści, nad którą rzekomo pracuje Falber. Miała być wielkim dziełem, ukoronowaniem jego literackiego życia i pisarskiej starości. Krótko mówiąc, miała być jego ostatnią książką.

Oczywiście, rzeczy ostatnie, podobnie jak i pierwsze, zawsze mają posmak ekskluzywności. Ludzie nieodmiennie chodzą na ostatnie spektakle sezonu, ostatnie koncerty schodzących z estrady gwiazd, choć często żadne wcześniejsze wydarzenie z ich dobiegającego końca artystycznego żywota nie zapadło im w pamięć.

Dziennikarki z wysokonakładowych pism i reporterzy z prywatnych stacji wydzwaniali pod domowy numer pana Jerzego, wyrażając „szczerą nadzieję" na małe spotkanie artystyczne.

– Nie chcę się znaleźć w rubryce między przepisem na pstrąga w folii a recepturą eliksiru młodości – zwykle mawiał, odkładając słuchawkę obok widełek.

Rzecz jasna, jego zdanie było jeszcze jednym przejawem tego samego staroświeckiego stylu, który tak mnie urzekał w Falberze. Dziś nie było tematów tabu, tak jak nie było w świecie spraw lepszych i gorszych. Powszechne równouprawnienie przedmiotów ustawiło depilator na jednej półce z meblami francuskich modernistów, a za obraz przedstawiający puszkę z zupą pomidorową płacono znacznie więcej od rozbieganych koni Kossaka, których posiadanie mój pracodawca poczytywał za oznakę prawdziwego bogactwa.

Odburknęłam coś o nielekceważeniu władzy nad duszami, jaką posiadły media, ale Falber lekceważył ją, tak jak starzy ludzie zwykli odrzucać wszystko, co nie należy do ich pokolenia.

– Nie można tysiąc razy tłoczyć tego samego tematu, tak jak historii jednego człowieka nie powinno się przepisywać dziesiątki razy. Najwięcej warta jest oliwa z pierwszego tłoczenia. Sama to powtarzasz.

Stukot klawiszy komputera przerwał mi rozmyślania o tym, co jest pierwsze, a co wtórne dla niego, dla dziennikarzy i reszty świata. I tak nie mieliśmy szans na poukładanie tej rozsypanej historyjki w jedną logiczną całość, skoro nawet taki Antek Szulc sens widział w powtarzalności, stałym odświeżaniu uczuć.

Chciałam zapisać na dyskietkę podyktowane przez Falbera listy, lecz nie znalazłam żadnej czystej. Wróciłam, by mu o tym powiedzieć, lecz drzemał już w fotelu, podpierając głowę łokciem.

Był bardzo ludzki w swojej bezbronnej pozie. Zupełnie jakby nie był tym Wielkim Jerzym Falberem, o którego względy dobijają się wszystkie gazety w kraju.

* * *

W pewien grudniowy, niedzielny poranek tysiąc dziewięćset osiemdziesiątego pierwszego roku do domu Aliny zapukali trzej mężczyźni w niebieskich mundurach.

– Jest Małgorzata Bałucka? – niepewny głos wydobywał się gdzieś spod nisko opuszczonej milicyjnej czapki.

– Miruś?! – zdziwiła się babcia. – Z samego rana w niedzielę? Stało się coś? – w głosie Aliny wyczuwało się nutkę niepokoju. – Mama chora?

– Nie, pani Pruska, to nie o to chodzi... – zmieszał się młody milicjant, zwany przez babcię Mirusiem.

– Pytamy o obywatelkę Bałucką Małgorzatę!

Towarzyszący mu rosły milicjant był zdecydowanie bardziej stanowczy.

Miastowa eskorta lokalnego funkcjonariusza prawa, nie czekając na zaproszenie gospodyni, wkroczyła w głąb domu. Mirek chwycił babcię za łokieć, chcąc powstrzymać starszą kobietę przed stawianiem oporu uzbrojonej władzy.

– Nie warto, pani Pruska, to nic nie da. Dziś w nocy ogłoszono stan wojenny i generał zamyka wrogów Ludowego Państwa.

– I moja Małgosia ma mu pomóc ich szukać? – zdębiała babcia. – Przecież ona całe życie zachowywała się tak, jakby nie potrafiła zliczyć do trzech!

Młody milicjant zawahał się.

– E... – Mirek ściszył głos. – Pani wie, że ja bym Małgosi nieba przychylił... Ale ci z miasta nie chcieli słuchać. Mówili, że mają rozkaz naszą Małgosię dostarczyć na jakieś wyjaśnienia.

W drugim pokoju słychać było spokojnie ubierającą się Małgosię.

– Na pewno jeszcze dzisiaj ją wypuszczą. To musi być nieporozumienie! – zapewnił milicjant z Anielina.

Jego słowa spotkały się tylko z pogardliwym uśmieszkiem funkcjonariuszy z miasta.

– Spokojnie, mamo! Milicja to nie gestapo, niewinnych ludzi nie będą zatrzymywać! – Małgorzata zapinała ostatnie guziki tureckiego kożuszka z łatek. – Zaprowadź Julkę do kościoła i sama wybierz coś na obiad, bo pewnie do dwunastej nie złapię w taką pogodę żadnego powrotnego autobusu z miasta.

– Może dam ci parę groszy, jakby wiesz... coś trzeba było załatwić...

Milicjanci patrzyli w sufit, dyskretnie udając, że nie słyszą.

– No, coś ty! – oburzyła się moja matka. – Daj na taksówkę i bez takiego gadania przy władzy! – zarządziła Małgosia.

Złe przeczucia nie opuściły jednak Aliny. Babcia Zosia też nie była tego dnia w najlepszym nastroju i chyba tylko ja naprawdę czekałam na popołudniowy powrót matki.

Zamiast niej wieczorem przyszedł milicjant Mirek. Był kompletnie pijany i choć od pół roku do wsi nie dowożono wódki, śmierdział nią na kilometr.

Ku zdziwieniu wszystkich od progu padł na kolana. Prawdopodobnie wyłącznie z powodu śliskich schodów, ale i tak wyglądało to niesamowicie.

– Pani matko! – wyjęczał, próbując chwycić mnie za kolana.

– Zwariowałeś, Miruś?! – zdumiała się Zofia. – Przecież Julcia w żaden sposób nie może być twoją matką. Ba! Niczyją matką, skoro jest dzieckiem.

– Pani matko! – jęczał dalej, nie zwracając uwagi na słowa prababci. – Jak mogłem się tak mylić. Ale naprawdę wierzyłem, że wypuszczą Małgorzatkę. To też moja wina!

Babcia pomogła wgramolić się pijanemu Mirusiowi do kuchni. Ponieważ w telewizji wciąż nadawano wojskowy komunikat, Alina wyłączyła telewizor.

– Mów, co wiesz o mojej córce! – rozkazała stanowczym głosem. – Dlaczego nie wróciła do domu?

Milicjant zaszlochał głośno, po pijacku.

– Wsadzili ją na amen, a ze mną nawet nie chcieli rozmawiać.

– Jak to?

– Rozkaz z samej góry. Nikt nawet nie przypuszczał, że Małgosia jest taka ważna...

– Co ty pleciesz, Mirek?! – zdumiała się babcia. – To wierutne bzdury! Nawet w szkole szło jej marnie.

– Właśnie. Całego oskarżenia nie przeczytałem, ale w raporcie zauważyłem jedynie, że skończyła niewłaściwą szkołę. To znaczy – tu czknął donośnie – taką, która hoduje wrogów ludu i miłośników sanacji. Ponoć wielu konspiratorów miało swoje korzenie w szkole na Krzywiu. Brali podobno wszystkich podejrzanych.

– Niemożliwe.

– I ja nie dawałem wiary.

Mirek zasępił się, a babcia tylko chodziła po pokoju wte i wewte. A potem zmieniała kierunek i robiła dokładnie to samo tak długo, aż opadła z sił.

– Poczekajmy do jutra, może wróci! – zaproponowała Zofia.

Milicjant z Anielina tylko wzruszył ramionami.

Czekałyśmy cały niespokojny, mroźny poniedziałek, a później taki sam wtorek i środę, a Małgosia nie wracała. W szkole zarządzono wcześniejsze ferie, lecz i one minęły, a o córce Aliny nie było wieści. Nadeszła zima, a wraz z nią kłopoty z brakiem opału i częstym wyłączaniem prądu, co zupełnie niespodziewanie wpłynęło na zacieśnienie więzi rodzinnych i małżeńskich w niejednym anielińskim domostwie.

Tej wiosny drzewo Jürgena nie wydało liści. Gdy wszystkim wydawało się, iż bezpowrotnie zmarniało, prababcia Zofia odkryła, że nie umarło do końca. Żyło tajemnym, podskórnym życiem. Jak wszystko w Polsce.

Małgorzata wróciła do domu z nastaniem lata. Co prawda, nieoficjalnie twierdzono, że znalazła się w areszcie pomyłkowo, ale choć padła ofiarą nieszczęśliwego zbiegu okoliczności, nie uchroniło jej to od odsiadki. „Wszak będąc w szkole na Krzywiu, musiała nasiąknąć moralną, antysocjalistyczną zgnilizną" – obwieścił sędzia. Lecz to, co bywało regułą, często nie dotyczyło w najmniejszym stopniu mojej matki. Małgorzata przez całe życie była zbyt zajęta sobą, by zawracać sobie głowę sprawami kraju, i jedynie brutalna interwencja tego ostatniego w jej uporządkowany świat mogła zburzyć filar dotychczasowych wartości. Tym samym skutek działania organów prewencji był odwrotny do zamierzonego.

Podczas pamiętnego półrocza schudła dziesięć kilogramów, ścięła włosy i – wzorem innych więźniarek – nauczyła się palić tanie papierosy bez filtra. Chodziły słuchy, że swoją tajemniczością i arystokratycznymi manierami (które, w mniemaniu bliższych znajomych, były niczym innym jak przejawem wrodzonego lenistwa) zyskała w więzieniu spory posłuch. Pomogła jej również opinia „politycznej", czyli tej, która z zasady gardzi władzą, a cecha ta, trzeba wiedzieć, cieszy się w zakładach karnych wielką estymą.

Gdzieś po drodze, w tyglu polityki, niesprawiedliwości i pomyłek, stało się to, czego prababcia Zofia obawiała się najbardziej: mama się zmieniła. I to nieodwracalnie. Minione pół roku, które dla nas było tylko jednym z typowych zimnych półroczy, dla niej musiało być zejściem do piekieł i z powrotem.

Alina denerwowała się, patrząc, jak córka trwoni czas i energię na spotkania z dziwnymi ludźmi poszukiwanymi przez milicję i ZOMO. Nosili oni flanelowe koszule, poplamione dżinsowe spodnie, a w oczach mieli ogień i żądzę odwetu. Tak bardzo przypominali jej Wołodię i to nie rokowało, w mniemaniu babci, dobrych prognoz na przyszłość.

Czasami jednak Małgosia wpadała w przygnębienie i zaczynała się odgrażać całemu światu:

– Przyjdzie dzień, kiedy spakuję manatki i wyprowadzę się do Karola! Ach, żeby mi tylko dali paszport!

Niestety, paszportu nie dawali, a pracujący w RFN mąż pisał coraz rzadziej. Na szczęście przysyłał paczki: tym większe i cięższe, im dłużej trwała przerwa w korespondencji.

– Wybrał wolność! – chwaliła się Małgorzata nowym znajomym.

Doskonale jednak wiedzieliśmy, że to nie o wolność, tylko o pieniądze tak naprawdę chodziło moim rodzicom.

Następne lata przyniosły nie tylko modę na brązową opaleniznę, ale i na wyjątkową szczupłość sylwetki. Mama, która zachowała więzienną figurę, przypadkowo wstrzeliła się w tę modę jak ulał. Choć przekroczyła czterdziestkę, mężczyźni wciąż oglądali się za nią na ulicach, a zaniepokojone żony odciągały ich od niej za rękawy.

„Polityczna" przeszłość mamy, o której nikt nawet nie przypuszczał, że jest dziełem przypadku, sprawiała, że dawno przestała być szarym obywatelem. Po latach uciemiężenia i braku perspektyw powiał wiatr przemian. Małgorzata zaprenumerowała nielegalny tygodnik związków zawodowych o wiele mówiącym tytule „Solidarność". Jego czerwono-białe logo, zakazane w kioskach i księgarniach, święciło triumfy w kraju i za granicą, a każdy z piszących do niego redaktorów opozycyjnej prasy witany był owacyjnie na wszystkich zachodnich uniwersytetach.

Od jednego z nich Małgorzata otrzymała nawet wkrótce po wyjściu z więzienia list gratulacyjny. Wówczas, przerażona groźbą ponownego aresztowania, wyrzuciła go na dno szafy, lecz teraz, gdy naród oczekiwał gruntownych zmian na szczytach władzy – wyciągnęła list spod sterty ubrań.

„Szanowny Towarzyszu Januszu" – napisała w nagłówku czystej kartki papieru kancelaryjnego.

185

Przyglądała się przez chwilę krojowi pisma i swoim słowom, a następnie zmięła kartkę i rzuciła na podłogę.

– Źle! – zawyrokowała.

W gazecie „towarzyszami" nazywano jedynie członków partyjnego betonu, niereformowalnych sługusów Moskwy. Adresat listu mógł odebrać taki nagłówek jako obrazę.

– Może lepiej „Szanowny Panie Januszu"? – zastanawiała się głośno Małgorzata.

Ostatecznie i ta wersja wylądowała na podłodze. W więzieniu nie było „szanownych panów" i „szanownych pań", więc redaktor został nazwany po prostu Januszem.

Dalej poszło jak z płatka. Małgorzata w pierwszych słowach przeprosiła za zwłokę w odpowiedzi na list gratulacyjny, dalej opisała swoje problemy w znalezieniu dobrej pracy, pochwaliła redaktora za bezkompromisowe artykuły, a na koniec dołączyła własne zdjęcie. Oblizawszy trzykrotnie klej na kopercie, zakleiła ją i zaadresowała na konspiracyjny adres.

Cztery tygodnie później prababce Zofii przyśnił się święty Jerzy w charakterze listonosza. Jego nocne objawienia przynosiły zawsze dobre wieści dla mieszkańców anielińskiego domu. Tym razem dotyczyły one Małgosi i pojawiły się pod postacią posłańca.

Młody człowiek, który przyjechał porannym autobusem, miał nie więcej niż dwadzieścia dwa lata, nosił zieloną kurtkę z wojskowego demobilu i wysokie, czarne buty Dr. Martensa. Jego zbuntowany wygląd nie przystawał jednak do dobrych manier i starannie dobieranego słownictwa.

Małgorzata pomyślała, że może być studentem jakiegoś humanistycznego kierunku, na przykład historii lub dziennikarstwa, jak to było w przypadku Janusza.

– Jesteś od pana redaktora Janusza? – zapytała z lekko ściśniętym gardłem.

– Jasne, że od Janusza – odpowiedział pewnie.

Matka pomyślała, że wiele zmieniło się od czasów jej młodości, bo choć sama cieszyła się opinią niepokornej, nigdy nie ośmieliłaby się zwracać po imieniu do kogoś dwukrotnie od siebie starszego i tak ważnego jak redaktor. Również o polityce rozmawiało się wówczas mniej śmiało.

– Mówi się teraz sporo o zmianach we władzy. Za rok, dwa uda nam się doprowadzić do wolnych wyborów, a może nawet... do utworzenia własnego rządu.

Matka przetarła z niedowierzaniem oczy.

– No, to oczywiście na razie tylko marzenia – poprawił się młodzieniec. – Ale niezależni komentatorzy dają Solidarności dużą szansę.

Wypiwszy dwie gorzkie herbaty i zjadłszy pół brytfanny porzeczkowego ciasta, rozparł się swobodnie w fotelu i wyciągnął pomięty list.

– Janusz napisał do pani kilka słów. Normalnie nie prowadzi żadnej korespondencji, by nie wzbudzać niezdrowego zainteresowania swoją osobą, bo

187

jak wiadomo – mrugnął porozumiewawczo – cenzura węszy wszędzie.

Małgorzata wyciągnęła kartkę papieru zapisaną pismem maszynowym. Na górze miała dobrze jej znany czerwono-biały symbol.

– Szuka się teraz zaufanych osób – kontynuował. – Z pewną przeszłością, niesplamionych przynależnością do żadnych partii. Chcemy im zaproponować udział w tworzeniu nowego państwa, jeśli oczywiście – tu się zastrzegł – stara władza podda się bez walki.

– A cóż ja mogę mieć z tym wspólnego? – zdziwiła się Małgosia.

– Tacy jak pani są nam bardzo potrzebni!

Małgosia nerwowo rozejrzała się na boki, nie będąc pewna, czy młodzieniec w zielonej kurtce nie stroi sobie z niej żartów.

– Mało kto ma tak chwalebny życiorys jak pani – ciągnął chłopak. – Szkoła na Krzywiu, emigracja polityczna męża, potem prawie półroczne więzienie!

Zdumiona Alina wzruszyła tylko ramionami i dołożyła gościowi kolejną ogromną porcję świeżego ciasta.

– Pan chyba nie mówi tego poważnie?

Chłopak potrząsnął głową.

– W liście redaktor przedstawił konkrety. Proszę, niech pani sama przeczyta!

Małgorzata pogrążyła się w lekturze listu. Papier szeleścił w jej drżących z emocji dłoniach.

– Proponuje mi wyjazd do Warszawy, pracę w Komitecie Obywatelskim i... – matka przerwała, patrząc na studenta. – Nie. To za wiele! Mam startować w wyborach do Sejmu?! Przecież ja... ja się nie nadaję...

Tym razem nawet sama Małgorzata, której nigdy nie opuszczał optymizm i wiara w siebie, uznała, że nie ma dostatecznych kwalifikacji.

– Córka mówi prawdę – potwierdziła spokojnie Alina. – Niech lepiej rządzą naszym krajem ludzie światli, tacy jak pan i pański redaktor.

Słowa Aliny tylko rozsierdziły Małgosię. Przez tyle lat matka wytykała jej brak ambicji i wykształcenia, że teraz przyszedł czas na rewanż.

– Zgadzam się! Ojczyźnie w potrzebie nie potrafiłabym odmówić.

Gniewny wzrok Małgorzaty powędrował ku Alinie.

– I to jest decyzja, której się spodziewaliśmy – ucieszył się chłopak.

Alina złapała się za głowę.

– Nieodrodna córka Wołodii – szepnęła do Zofii, kiedy Małgorzata żegnała w progu przybysza.

– Może to dla niej i lepiej? – Prababcia Zofia zawsze była zdania, że dla osób pokroju mojej mamy ani rodzinne gniazdo, ani Anielin nie jest odpowiednim miejscem na ziemi. – Niech jedzie do Warszawy, bo siłą nic jej tu nie zatrzyma.

Matka wyjechała samotnie następnego ranka, pozostawiając babcię Alinę nie tylko z nastoletnią córką, ale i z przekonaniem, że to nie wielkie zasługi Małgosi, lecz jej atrakcyjne zdjęcie przekonało

ostatecznie redaktora Janusza do zaproszenia jej do
stolicy.

* * *

W następnym roku stała się rzecz najdziwniejsza
pod słońcem: sprawdziły się prognozy studenta
w zielonej kurtce. Rozpoczęły się długie rokowania
i telewizyjne debaty, jednak dla wszystkich stało się
jasne, że koło historii obróciło się o sto osiemdziesiąt
stopni i wkrótce w naszym życiu dokona się ogrom-
na zmiana, której dokładnego kierunku nikt nawet
nie potrafił sobie wyobrazić.
– Idzie nowe! – zawyrokowała Zofia.
Rzeczywiście, miała rację.
Pierwszym wielkim wydarzeniem był dla nas
bezkrwawy przewrót w Polsce. Drugim – że mama
istotnie zasiadła w Sejmie, a podczas wiosennej kam-
panii wyborczej jej starannie uczesana, ruda głowa
patrzyła na nas z plakatu na niemal każdym drzewie w Anielinie.
Małgorzata zawsze dobrze wychodziła na zdję-
ciach, więc tym razem Aliny nie zdziwił medialny
sukces córki. Znikały z kiosków stare tytuły gazet,
a w tych, które się pojawiały, widniała twarz mamy
w otoczeniu premiera, znanych polityków, a nawet
samego prezydenta Wałęsy. Doszło do tego, że nie-
ufni nowinkom mieszkańcy Anielina podejrzewali,
iż z tej sprawy musi wyniknąć coś konkretnego. Po-
dzielili się przy tym na dwa obozy; na tych, którzy
stawiali na pieniądze, i na tych (do tej grupy
należały głównie kobiety), którzy podejrzewali, że

w nowym środowisku Małgorzata złowi małżonka posła i zostawi raz na zawsze Anielin i pamięć po niewiernym Karolu.

Tymczasem Małgosia nie tylko nie zapomniała o Karolu, ale skutecznie odsuwała od siebie całą smutną prawdę o swoim małżeństwie, snując fantazje dotyczące ich wspólnej przyszłości. Odrzucała raz po raz miłosne oferty osamotnionych w Warszawie posłów i senatorów, oparła się nawet samemu redaktorowi Januszowi.

– Podbija cenę – osądzali znajomi, widząc, jak się bawi kosztem kolegów z sejmowych ław.

Im zaś pogodny sposób bycia Małgosi i konserwatywne zasady podobały się na tyle, że nie zwracali uwagi na fakt, że brak jej merytorycznego przygotowania do piastowania mandatu. Powszechny entuzjazm spowodowany odzyskaniem wolności sprawiał, że te sprawy mogły się zresztą wydawać drugorzędne. Mama tam, w Warszawie, budowała nową Polskę, a my w Anielinie cieszyłyśmy się wraz z nią. A ponieważ entuzjazm z reguły bywa zaraźliwy, wszyscy we wsi (wietrząc, naturalnie, sprzyjające wiatry) zafundowali sobie *a conto* nowe lodówki i wielkie, zagraniczne telewizory, natomiast na dachu każdego domostwa dumnie stanął biały talerz anteny satelitarnej. Świat wkroczył pod mazowieckie strzechy.

* * *

Tego samego roku w sierpniu prababka Zofia skończyła okrągłe sto lat. Niestety, to radosne święto, którego dożycie dane jest tylko nielicznym, wprawiło ją w niewesoły nastrój. Wręcz przeciwnie – obszedłszy wszystkie groby bliższych i dalszych krewnych (a było ich niemało), prababcia zabrała się do kompletowania pogrzebowej garderoby. Oprócz tego w towarzystwie trzech świadków spisała testament i szczegółowo wyraziła ostatnią wolę co do sposobu jej pochówku.

– Do tej pory mogłam jeszcze liczyć na nagłą, nieprzewidzianą śmierć – wyjaśniła zdumionej rodzinie – lecz w obecnej sytuacji jest prawie pewne, że osobę w moim wieku już nic niezwykłego poza zgonem na własnej wersalce nie może spotkać. Postanowiłam zatem zmienić plany i przygotować się na tę ewentualność.

Warto dodać, że od owego dnia prababcia Zofia trenowała swój plan awaryjny codziennie. Tym bardziej że wszelka najdrobniejsza nawet zmiana mody w pogrzebowej konfekcji i galanterii nie przechodziła niezauważona, a co za tym idzie, nasz dom w Anielinie powoli zaczął się wypełniać w zastraszającym tempie różnorodnymi cmentarnymi akcesoriami.

Oryginalna kolekcja mody pogrzebowej stanowiła niejednokrotnie koło ratunkowe dla potrzebujących w całej okolicy, dzięki czemu nie dane nam było utonąć w stercie trumiennych poduszeczek, dzierganych koronek i purpurowych szarf z życzeniami szczęśliwej ostatniej drogi.

Jedną z poduszek upodobał sobie pies. Początkowo przywiązanie Bobika Trzeciego do atłasowej poduchy z koronką i wzniosłym haftem wieszczącym „Spokój Duszy" budziło niesmak Aliny, ale z czasem przyzwyczaiła się i do tego niewinnego dziwactwa.

Ja jednak tamtego dnia, w obawie o własną przyszłość, postanowiłam wyprowadzić się z anielińskiego domu raz na zawsze, zostawiając za sobą przydługą przeszłość, sterty pogrzebowych gadżetów i jedno, wyrwane z ojczystej gleby, nigdy nieowocujące drzewo oliwne.

Jak postanowiłam, tak zrobiłam. Myśląc, że odcinam się od wszystkiego, zabrałam na zawsze wszystko ze sobą – niczym oliwka Jürgena, która przyniosła ze sobą wspomnienie o południowych wiatrach.

* * *

Takich porządków, jak przed przyjazdem Antka Szulca w rodzinne strony Stanisławy Mutter, mury domu nie pamiętały od śmierci Małgorzaty, na której pogrzeb przybyło trzy czwarte parlamentu (czyli cała tak zwana sejmowa większość) oraz ekipa telewizji z Warszawy.

Nikt wówczas nie kojarzył szczupłości Małgosi z wyniszczającą chorobą trawiącą jej organizm. Więzienna przeszłość tylko przyczyniła się do jej rozwoju.

Na pogrzebie zjawili się wszyscy najważniejsi ludzie w państwie, a redaktor Janusz, o którego związku z Małgorzatą po cichu szeptało się w kuluarach, osobiście wygłosił wzruszającą i natchnioną mowę pogrzebową.

Przypuszczam, że biedak nawet nie zdawał sobie sprawy, iż wszystkie te tak ważne osobistości chowają pustą trumnę, podczas gdy mamine prochy czekają cierpliwie w pudle na kredensie na połączenie się z Karolem.

Prababci Zofii, która od pewnego czasu stała się wytrawną znawczynią pogrzebowych obyczajów, uroczystość bardzo się podobała, podczas gdy ja i Alina płakałyśmy tak rzewnie, jakby mama była chowana naprawdę tu, na cmentarzu, a nie w pudle na kredensie. Cóż, być może ponadstuletnie życie pomaga nabierać dystansu do wszystkich, nawet najtrudniejszych ziemskich spraw.

Na spełnienie ostatniej woli Małgorzaty prochy czekały trzy lata, aż wreszcie nadarzyła się okazja, by zawieźć je do Niemiec i oddać w ręce mężczyzny, którego powrotu matka się nie doczekała.

O dziwo, właśnie to wydarzenie sprawiło, że mur, który od zawsze istniał między mną a prawie nieznanym mi ojcem, zaczął się kruszyć i rozpadać w gruz.

– Pan Karol się zestarzał i dorosła córka zaczęła go cieszyć – osądził Falber, gdy spotkaliśmy się po raz pierwszy w pociągu.

Sądzę jednak, że ostatnim pragnieniem mamy było zjednoczenie naszej rodziny. Jak to często z ostatnimi życzeniami bywa – musiało ono zostać spełnione.

Dziś Falber pomagał mnie i Alinie w porządkach, tak jakby był moim dziadkiem, a nie pracodawcą. Roześmiałam się na samo skojarzenie. Spojrzał w taki sposób, jakby się domyślał, co mi chodzi po głowie, lecz nie zaprotestował. Wiedziałam dobrze, że nie ma rodziny ani dzieci, bo zawsze żywił niechętny stosunek do „stadnych zgromadzeń, które nie mają na celu nic poza prokreacją". Tak się wyrażał w wielu wywiadach. Był wolny, bo sam tego chciał – i ta postawa nawet mi imponowała.

Wolałam dumną, wynikającą z wyboru samotność od niedoskonałej miłości, jaka była udziałem mojej matki, matki mojej matki, a nawet samej Stanisławy Mutter.

Pisarz radził, abyśmy w związku z przyjazdem amerykańskiego gościa wyciągnęły na wierzch wszystkie pamiątki po Stasi, lecz okazało się, że oprócz zdjęć wykonanych przez Antka Szulca i podretuszowanego portretu ze ślubu z Dawidem niewiele jest rzeczy, które mogłyby przypomnieć współczesnym piękną cioteczną babkę.

– To takie smutne – westchnęłam. – Niewiele możemy pokazać tym Amerykanom.

Na szczęście Alina przytomnie wyciągnęła kilka zszarzałych sukienek Małgorzaty z czasów, gdy modny był styl folk, i dołączyła je do kolekcji. Wraz z jedną z pięknych (trumiennych) poduszek Zofii stanowiły ładny zbiór przedmiotów mogących się kojarzyć z piękną siostrą babki.

– Fiu, fiu! – zagwizdał z uznaniem Falber. – Teraz Hollywood może przybywać do Anielina.

– Jesteś niemożliwy! – skwitowała go ze śmiechem Alina. – Prawda, Julciu?

Nie zauważyłam wcześniej, że przeszli na „ty", ale postanowiłam udawać, że nie robi to na mnie żadnego wrażenia.

– Tak, babciu – potwierdziłam grzecznie.

Ostatnia rzecz, jakiej bym pragnęła, to zepsuć im zabawę.

Wyszłam na dwór z wilczym apetytem na papierosa. Nie paliłam od czasów studenckich i wcale nie miałam zamiaru wracać do nałogu, gdyby nie mrzonki dotyczące Petera.

– To nie głód nikotynowy, lecz głód miłości mnie dopadł! – mruknęłam pod nosem, wściekła, że zachowuję się tak irracjonalnie i sztampowo.

Zaczęła mi przeszkadzać nawet zażyłość babki i pisarza, choć nie pragnęłam niczego bardziej niż szczęścia Aliny. Właściwie od pewnego czasu oboje byli dla mnie jedynym oparciem. Minęłam Zofię.

– Czego szukasz, dziecko? – zapytała.

– Papierosa, babciu. Niestety – odpowiedziałam w wielkim skrócie.

– Papierosy są bardzo zdrowe – zapewniła prababcia z promiennym uśmiechem. – Jurguś mi mówił niedawno.

Miała już tyle lat, a wciąż się potrafiła zachowywać jak mała dziewczynka, której się wydaje, że potrafi rozmawiać z duchami. Rozbawiona wyobraźnią staruszki, wzięłam Zofię pod rękę.

– Jak chcesz, pokażę ci coś ważnego.

– Co, babciu?

– Święte drzewko – szepnęła, nachylając się ku mnie konspiracyjnie.

Zofia kochała drzewo oliwne, tak jak kochał je każdy w naszej rodzinie. Myślę, że trochę dlatego, iż było symbolem niepoprawnego marzycielstwa Jürgena, które wszyscy odziedziczyliśmy po nim w genach.

– Widzisz, coś mi się zdaje, że całkiem niedługo zobaczymy się z Jürgenem. – Zofia wskazała palcem niebo.

– Tak sądzisz?

Przypuszczałam, że słowa Zofii mogą mieć coś wspólnego z niedawną pasją planowania własnego pogrzebu, ale się myliłam.

– Jestem pewna, kochanie. Drzewo zakwitło.

Oniemiałam. Przede mną stało drzewo oliwne, lecz nie przypominało już zdziczałej, polnej gruszy. Obsypane kwiatkami ożyło jak za dotknięciem czarodziejskiej różdżki.

– Jürgen chciał, bym dożyła tego dnia, Julciu. A skoro doczekałam, szczęśliwa, mogę już iść do niego.

Z całej siły przytuliłam babcię do siebie. Stałyśmy tak pod kwitnącym drzewem oliwnym na rozległej, smaganej wiatrami mazowieckiej nizinie, i byłyśmy najszczęśliwsze na świecie.

* * *

Peter Adamsky nie przyjechał do Polski. Kancelaria uznała sprawę odszukania krewnych Stanisławy

197

Mutter za zakończoną i szybko powierzyła mu nowe zadanie, Peter zaś z godnym podziwu kalifornijskim zapałem i wiarą w sukces zabrał się do kolejnej pracy. Pozwoliło mu to nabrać wygodnego dystansu do niedawnych planów i zawiadomiwszy mnie, iż jest niezmiernie zajęty, urwał kontakt z dnia na dzień.

Być może – pomyślałam – w tej chwili jakaś Amerykanka lub elegancka Rosjanka wsłuchuje się poprzez chłodną, ebonitową słuchawkę w tembr jego czarującego głosu.

Westchnęłam tak przeraźliwie ciężko, że Mariusz uciszył dzieci.

– Nie podoba ci się, prawda?

Przez moment zupełnie zapomniałam, gdzie jestem. Nie słyszałam ani gry Mariusza, ani głosów dzieci ze szkolnego chóru, myślałam tylko o tym, co straciłam, a właściwie, co mogłam stracić, nie poznając Petera.

Zrobiło mi się głupio. Dobrze wiedziałam, że Mariusz nie musiał organizować koncertu szkolnego chóru z okazji przyjazdu Antka Szulca i zrobił to tylko z życzliwości dla naszej rodziny.

– Dziękuję wam – uśmiechnęłam się, by zatrzeć poprzednie wrażenie. – Śpiewacie pięknie...

Dzieci wyglądały na bardzo przejęte, co specjalnie mnie nie dziwiło, bo przyjazd Andrew rozszedł się szerokim echem po okolicy. Prasa i słupy ogłoszeniowe puchły od wiadomości dotyczących znakomitego gościa, jego twórczości i artystycznego dorobku, a ludzie przekazywali sobie z ust do ust wieści o ogromnym majątku, jaki zgromadził dawny obwoźny fotograf Antek.

– To dla nich dużo znaczy – oświadczył Mariusz, kiedy zostaliśmy sami. – I dla mnie też – dodał po chwili.

– Doprawdy? – zdziwiłam się.

Nie spodziewałam się, że Mariusz może być jednym z tych, którzy pragną coś zyskać na przyjeździe Amerykanina. Zdecydowanie nie wyglądał na ten typ człowieka.

– Dzięki temu milionerowi widuję cię prawie codziennie. Rozmawiamy, razem sprzątamy, razem kopiemy ogródek. Czy będziesz miała czas dla ludzi z Anielina, kiedy on wyjedzie?

– Nie wiem... – zamyśliłam się.

W głębi duszy chciałam, by tak mogło być zawsze. Dawno bowiem nie czułam się równie szczęśliwa i wolna jak teraz.

Dzieci chwyciły worki z butami i błyskawicznie znikły za szkolną furtką. Mariusz odprowadził je wzrokiem aż do drogi.

– Większość ich rodzin uważa muzykę za stratę czasu. Chór istnieje tylko dzięki mojemu uporowi i entuzjazmowi tych dzieciaków, które nie dały się zwieść powabom łatwych, elektronicznych rozrywek.

– Jesteś świetnym muzykiem i doskonałym nauczycielem.

– Bardzo wątpię, bym był dla wszystkich wiarygodnym autorytetem.

– Żartujesz?

– Dojeżdżam do pracy rowerem – wyjaśnił przekornie. – A że na wsi ludzie zwykli robić tak od stu lat, nie mogę uchodzić za postępowego. Nie bardzo wiem, jak zmienić swój wizerunek... Może ty mi coś poradzisz?

– Jasne! – klepnęłam go przyjacielsko po plecach. – Zapiszę cię na występ w jakimś teleturnieju, a wtedy twoje akcje przebiją nawet miejscowego sołtysa.

Mariusz przybrał zabawną pozę bywalca salonów. Był bystrym i sympatycznym obserwatorem rzeczywistości, co po rozczarowaniu Peterem wydawało się miłą odmianą.

* * *

Andrew przyleciał w niedzielny poranek. Jego niewielki, zwinny samolocik bez trudu wylądował na łąkach otaczających pola rzepaku.

W tej samej chwili ruszył ku łące tłum odświętnie ubranych dzieci i dorosłych. Zdezorientowane psy rozszczekały się zajadle w takt wyjących silników. Wójt i sołtys, trzymając chleb i sól, machali w stronę samolotu, jakby witali dawno niewidzianego, najlepszego przyjaciela.

Orkiestra strażacka huknęła w trąby.

– Mój czas już nadszedł – jęknęła ogłuszona prababcia.

– Bzdura, koniec świata to przy tym pestka! – pocieszał ją Falber, nie wypuszczając z uścisku ramienia Aliny.

Obawiałam się, że huk przestraszy Andrew, lecz ten wyglądał na zachwyconego. Uśmiechał się szeroko, błyskając na lewo i prawo białym uzębieniem, pozwalał się częstować chlebem, głaskał dzieci po głowach, chętnie słuchał śpiewu chóru.

Falber zasugerował, że powitanie powracającego do ojczyzny Antka Szulca przypomina mu wizytę białego człowieka w afrykańskiej wiosce.

– Jeszcze chwila, a zacznie rozdawać dropsy i jednorazowe długopisy – dodał złośliwie, ale babcia Alina przerwała pisarzowi, oskarżając go o pospolite marudzenie.

Antek Szulc nieoczekiwanie zapragnął zostać u nas na noc. Zażądawszy pierzyny z gęsiego puchu i ziemniaków ze zsiadłym mlekiem, chciał odnaleźć w domu Zofii świat swej młodości. Okrucieństwem byłoby mu donieść, że ów świat odszedł wraz z upadkiem całej epoki, a ludzie na wsi, złaknieni dobrodziejstw cywilizacji, odcinają się od przeszłości, ochoczo zamieniając nędzę choćby i na tandetę.

To, czego ja nie śmiałam mu donieść, powiedział podczas kolacji Falber.

– Tak pan sądzi? – zasępił się Andrew, wysłuchawszy pisarza.

– Oczywiście. Gdybym nie wierzył w pański rozsądek, pozwoliłbym pewnie dalej bezkarnie rozkoszować się tą cepelią, którą wszyscy dla pana przygotowaliśmy.

Zaległa chwila ciszy.

– W Ameryce mamy swoje Hollywood i wy, jak widzę, macie tu swoje. Ale nie zmienia to moich uczuć do rodzinnego kraju.

– Miło słyszeć – Alina odetchnęła z ulgą. – Jest pan pierwszym człowiekiem, który wskrzesił pamięć mojej niezwykłej siostry, więc w żadnym wypadku nie chcielibyśmy pana urazić.

– Nikt wcześniej nie wspominał Sisi Mutter?

– Właściwie... – babcia zastanowiła się. – Mój brat kiedyś chciał sprzedać fortepian Dawida Hamana. Miało to uchronić słynny instrument przed zniszczeniem. Wówczas wszystko wróciło...

Szulc smutno pokiwał głową.

– Zatem i to przepadło.

– Wcale nie! – zaprzeczyłam. – Fortepian akurat stoi na strychu, bo jeszcze nie znalazł się siłacz, który zdołałby go znieść. A poza tym – westchnęłam smutno – nikt z naszej rodziny nie przejawiał talentów muzycznych, choć wszystkie mamy doskonały słuch.

W oczach Andrew spostrzegawczy obserwator mógł zauważyć błysk zainteresowania i choć ten nie odezwał się ani słowem, widać było, że o czymś intensywnie myśli.

Kilka godzin później Alina porządkowała ubrania, przeglądając się w lustrze zamontowanym na drzwiach szafy. Nie od razu dostrzegła Falbera.

– Nie chciałem ci przeszkadzać – usprawiedliwił się, dostrzegając jej zakłopotanie.

– Nie powinieneś już iść?

Pisarz milczał.

– Przepraszam, to może źle zabrzmiało, ale chciałam ci powiedzieć, że tak dawno nie zastałam w mojej sypialni mężczyzny, że... poczułam się dziwnie. Ale to oczywiście tylko moje zapomnienie – dodała szybko. – Od wieków nie jestem kobietą, która mogłaby się czegokolwiek obawiać ze strony płci przeciwnej.

– Jestem innego zdania.

– Przestań! Masz przed sobą staruszkę, którą niewiele może już w życiu spotkać.

– Alino! – Falber przerwał jej gwałtownie. – Jestem tu, by cię prosić o pozwolenie zostania na noc.

– Tu? W mojej sypialni? – zdziwiła się.

– Z tobą.

Babcia opadła na świeżo posłane łóżko.

– Gdyby nie to wszystko, co miało miejsce dzisiejszego dnia, i obecność Antka Szulca za ścianą...

– Chcesz powiedzieć, że muszę iść?

– Chcę powiedzieć, że czasy się zmieniają i ludzie również. Kiedyś przed księdzem przysięgałam czystość, lecz teraz, wspominając o tym komukolwiek, taka stara kobieta jak ja naraziłaby się tylko na śmieszność. – Alina podniosła dłoń pisarza i przyłożyła ją do swego policzka. – Proszę cię, żebyś został!

Tej nocy w cichym od lat i zazwyczaj spokojnym domu Zofii zapanował tłok. Długo paliły się światła w oknie Aliny, lecz jeszcze dłużej w oknach pokoju Antka Szulca.

Każda piędź ziemi, każdy krzak za oknem i każda deska skrzypiącej ze starości podłogi budziły w jego pamięci barwny film z lat młodości. Widział przekomarzającą się z chłopakami piękną jak obraz bizantyjskiej Madonny Stanisławę Mutter, rozbrykanego Tadzika i Alinę, Zofię i Jürgena. Wszyscy oni pojawiali się przed nim jak żywi, w dobrze znanych anielińskich pejzażach. Nie przeszkadzał mu ani nowocześniejszy wygląd domowych wnętrz, ani podeszły wiek dawnych przyjaciół. Dziś czuł się tym samym, niewinnym Antkiem, który dzięki miłości do najpiękniejszej dziewczyny na świecie stał się artystą.

Wielokrotnie planował, iż dzięki talentowi i pieniądzom, które zdobył, wróci tu kiedyś i zdobędzie Stanisławę Mutter. Obiecywał to sobie każdego dnia od momentu, gdy wszedł na pokład dusznego, pasażerskiego transatlantyku. Marzenie to towarzyszyło mu poprzez wszystkie miesiące wojny i później, kiedy kupował kina, zarabiał dolary, poślubiał kolejne żony, wydawał przyjęcia. Mógł przysiąc, że budził się i chodził spać z jedną tylko nadzieją, iż pewnego dnia przybędzie do Anielina i zostanie przyjęty tak jak teraz.

Przymknął oczy. Tak, lepiej sobie tego nie mógł wyobrazić. Był oczekiwany i potrzebny. Jednak radość z powrotu, którą wielokrotnie sobie wyobrażał, stąpając po kalifornijskiej ziemi, nie nadchodziła.

– Za późno! – załkał, obejmując pomarszczonymi dłońmi odmłodzoną twarz. – Za późno...

* * *

Rano Zofia, która od przeszło dziesięciu lat nie sypiała nocami, wyznała, że miała dzisiaj proroczy sen, za nic jednak nie chciała zdradzić, czego dotyczył. Oznajmiła natomiast, że musi pilnie udać się na konsultacje do pana Szulca. Było to o tyle dziwne i niepokojące, że zarówno owe tajemnicze „konsultacje", jak i nazwanie Andrew „panem Szulcem" w ogóle nie pasowało do prababki. Również nadmierne ożywienie wiekowej i niezmiennie słabnącej Zofii budziło niejasne podejrzenia.

– Och! – Zniecierpliwiona machnęła ręką. – Gdybym tylko szepnęła wam słówko, zabroniłybyście mi wyjść na spotkanie mojego przeznaczenia.

Powiedziawszy to, Zofia zaszyła się w swoim pokoiku na całe przedpołudnie.

Również Andrew zachowywał się bardzo tajemniczo. Sporo myślał, milczał i częściej rozmawiał z własnym pilotem niż z polskimi gospodarzami. Dziwne zachowanie obojga wyjaśniło się nieoczekiwanie zaraz po uroczystym obiedzie.

– Mówiłam wam dzisiaj o moim śnie... – zaczęła prababka.

Poważny Andrew ujął jej dłoń i złożył pełen szacunku pocałunek – z rodzaju tych, które należą się tylko starym i mądrym kobietom.

– Nie trzeba, Antek! – Zofia odsunęła go łagodnie.

– Ma pani niespotykaną dziś słowiańską, romantyczną duszę. Zawsze będę pełen uznania dla pani...

– O czym on mówi, mamo?! – zaniepokoiła się Alina, odkładając nieco zbyt hałaśliwie łyżeczkę od ciasta.

Od wczorajszej nocy myśli Aliny całkowicie zajmował Falber. Nie liczyła, że dane jej będzie jeszcze kiedyś przeżyć tego typu uczucia. Ludzie, których miłość spotyka na progu starości, porównują swe uniesienia do młodzieńczych, niedojrzałych porywów serca. Dla Aliny wszystko miało jednak inny smak, tak jak inaczej od niedojrzałych winogron smakują grona lekko przejrzałe, pękające od słodyczy.

Matka obudziła w niej czujność chwilowo uśpioną serdecznością pisarza.

– Jeśli coś planujecie – ostrzegła – powinnam chyba wiedzieć o tym pierwsza.

– Pani Zofia... – zaczął niepewnie Andrew. – E... Zgłosiła się dzisiaj do mnie z niezwykłą prośbą...

– Poprosiłam Antka – prababka weszła mu w słowo – żeby pozwolił mi umrzeć w swoim samolocie.

Mówiąc to, Zofia miała minę, jakby załatwiała coś najzwyczajniejszego na świecie. Uśmiechnęła się przepraszająco do Aliny.

– I tak większość moich najbliższych jest już po tamtej stronie. A ty z Juleczką poszłyście wreszcie po rozum do głowy i znalazłyście sobie porządne męskie towarzystwo!

Prababcia przeniosła wzrok z pisarza na Mariusza. Poczułam, że się rumienię, bo nigdy wcześniej nie uzgadnialiśmy, że mogłabym go uważać za kogoś więcej niż tylko dobrego kolegę. Mariusz jednak nie zaprotestował, tylko – zapewne z grzeczności – uważnie słuchał każdego słowa Zofii.

Ta zaś, choć słabła z każdą chwilą przemowy, mówiła dalej stanowczym tonem:

– Pamiętacie pewnie, jak pięknie zginął Jürgen?

Wszyscy, łącznie z Falberem, skinęli zgodnie głowami.

– Więc ja... chciałabym umrzeć tak samo!

Alina próbowała coś powiedzieć, lecz prababka powstrzymała ją stanowczym ruchem ręki.

– Żyłam prawie sto dziesięć lat i kto wie, czy nie jestem najstarszym człowiekiem na tej ziemi, a okazja, jak się nie nadarzała, tak się nie nadarzała. Do dziś dnia. – Zofia przerwała, by się napić wody. – A teraz, kiedy mogę jak mój Jurguś poszybować do nieba, nie przepuszczę tej okazji.

Zapadła cisza, którą przerwała babcia Alina.

– Zamierzasz się po prostu przelecieć samolotem, prawda, mamo? – zapytała niepewnie.

– Nie. Zamierzam umrzeć bliżej nieba.

W głosie Zofii brzmiała taka determinacja, że nikt nie śmiał się jej sprzeciwić.

Moja prababka miała układy na górze. To wiedział każdy. Zepsuty samolot Jürgena lądujący na dachu jej domu mógł jedynie przy udziale sił wyższych na zawsze przypieczętować jej los.

Samolot pilotowany przez pracownika Andrew po dwóch nieskończenie długich godzinach lotu wylądował przy akompaniamencie szlochu Aliny. Jakież było nasze zdumienie, gdy wysiadła z niego strasznie zdenerwowana i zupełnie *żywa* prababcia.

– Nic specjalnego nie ma w tym całym lataniu! – zniechęcona machnęła ręką. – Jürgen opowiadał mi takie cuda, a ja nawet nie zdążyłam się porządnie przestraszyć.

– Liczyła pani, że umrze ze strachu? – zainteresował się Falber, który podobnie jak wszyscy nie krył ulgi.

– Naturalnie!

– Taka kobieta, jak pani, Zofio, nigdy nie umrze ze strachu. Przeżyła pani dwie wojny i wszystkie możliwe nieszczęścia tego świata, a teraz liczyła, że przestraszy się zwykłego samolotu? Co za niedorzeczność!

Prababcia wzruszyła ramionami i podpierając się na ramieniu pilota, udała się do domu. Złość i wstyd z powodu nieudanego przedsięwzięcia nie pozwoliły jej wyjść z pokoju do wieczora.

Niestety, czasami rozwój bezpieczeństwa i techniki lotniczej może zniweczyć realizację nawet najbardziej romantycznych planów...

* * *

Zofia umarła tydzień później, w nocy z soboty na niedzielę. Jej sen o pójściu do nieba spełnił się z pewnym opóźnieniem. Mimo iż umarła we śnie we własnym łóżku, wierzyłyśmy, że zabrał ją tam ze sobą Jürgen z Guttstadtu.

W dniu jej pogrzebu nadszedł list gratulacyjny od

prezydenta Polski. Wynikało z niego, iż jest najdłużej żyjącą obywatelką naszego państwa. Prezydent obiecał nawet przy najbliższej okazji zjawić się w Anielinie i osobiście złożyć wiekowej jubilatce życzenia. Oczywiście, szybko mu odpisaliśmy, że z wiadomych względów nie będzie to możliwe.

Cóż, z reguły wszystko przychodzi za wcześnie lub za późno.

Do tego drugiego wariantu szczególnie przekonana była Alina, uparcie się broniąca przed dopuszczeniem do siebie nadziei na powodzenie „późnego związku" z Falberem. W jej pojęciu mężczyźni zbyt często okazywali się frustratami, dziwkarzami lub alkoholikami, by można było wiązać z nimi jakiekolwiek nadzieje na bezpieczną przyszłość.

Z drugiej strony uważała, że starość, mimo całego ciężaru chorób i niedogodności, jakie ze sobą niesie, jest równocześnie dzwonkiem ostatniej nadziei. Nie: „ostatecznej nadziei", jak mawiała w takich przypadkach Zofia, lecz ostatniej, jeszcze jednej z półki.

Alina przestała się wstydzić swoich czynów przeszłych i teraźniejszych, bo z perspektywy minionych lat nie znaczyły więcej niż przekorny chichot losu. Nie przejęła się również zbytnio złamaniem ślubów czystości, była bowiem przekonana, że po przekroczeniu pewnego wieku sam Najwyższy udziela kochankom miłosnej amnestii, czego naukowym dowodem miałaby być – jej zdaniem – niemożność zachodzenia w ciążę.

Dziwiła się bardzo, że Kościół jest innego zdania,

każąc się spowiadać z pozamałżeńskiego seksu nawet najbardziej zgrzybiałym starcom.

Na szczęście dobrze wychowanemu anielińskiemu proboszczowi nie w głowie było pytać o podobne niedyskrecje i Alina z radością korzystała zarówno z cielesnych, jak i duchowych przywilejów ziemskiego życia.

W tych dniach spadła na mieszkańców Anielina wiadomość o nieoczekiwanej decyzji Andrew Szulca. Wiadomo było tylko, iż jest ona rezultatem pewnej nieprzespanej nocy w pokoju gościnnym naszego domu poprzedzonej długą rozmową z jego mieszkańcami. Z innych, dobrze poinformowanych źródeł dochodziły informacje, że sprowokował ją Mariusz.

Jakkolwiek było, Andrew kupił pałacyk księżnej. Nie zamierzał jednak w nim zamieszkać, wiedziony tęsknotą za szumiącymi wierzbami i mogiłą mojej ciotecznej babki. Postanowił otworzyć w nim fundację imienia Stanisławy Mutter i Andrew Szulca. Jakkolwiek dziwnie by to brzmiało, Andrew znalazł jedyny dostępny sposób, by połączyć się z piękną Stanisławą. Tym samym jego pragnienia zostały spełnione i mógł dalej wieść spokojne życie w luksusach Hollywood przy boku kolejnej atrakcyjnej małżonki.

W pałacyku miały się głównie odbywać koncerty ku czci pary fundatorów i zajęcia muzyczno-kulturalne dla uzdolnionej okolicznej młodzieży. Z tej okazji, ku niezmiernej radości Mariusza, wyciągnięto nawet ze strychu nieużywany od dziesiątków lat fortepian Dawida Hamana.

Beneficjentką tego przedsięwzięcia zostałam ja, z czym wiązał się obowiązek powrotu do Anielina. Czułam, że koło mego życia zatoczyło pełny obrót, a ja wracam tam, skąd przybyłam. Nie wiedziałam, czy to dobrze, czy źle, lecz z pokorą przypisaną wszystkim pokoleniom moich przodków postanowiłam wziąć to, co los mi przynosi. Wróciłam.

Skończyłam pisanie wspomnień, bo zamieszkując pod jednym dachem z duchami przeszłości, trudno jest zdystansować się do rzeczywistości. Czas przeszły niezauważalnie umyka, zostawiając coraz więcej miejsca teraźniejszości. Zniknęły też zawroty głowy i omdlenia, tak jakby powrót uzdrowił od razu wszystko: pamięć i ciało.

Zamieszkałam w pałacyku, uprzednio wysławszy na emeryturę brata przerażającego Władysława Mroza. Bardzo mi to ułatwił Jerzy Falber, wprowadzając się pewnego dnia do domu babci. Zrobił to z tak dużym wdziękiem, że nikt nawet nie pomyślał, by mu się przeciwstawić. Kiedy się okazało, że sprzedał swoje mieszkanie, Alina stanęła przed faktem dokonanym. Jeszcze raz musiała podjąć ryzyko wzięcia pod swój dach mężczyzny zesłanego przez przewrotny los.

Zanosiło się więc na to, że nie stracę pracy u boku znanego literata. Podczas pewnego niedzielnego obiadu oznajmił mi jednak:

– Pewnie pamiętasz, jak oczekiwano na moją ostatnią powieść, głośne pożegnanie z piórem?

Skinęłam głową.

– Postanowiłem sprawić im niespodziankę i...

– Nie żegnać się z piórem?

– Nie wydawać mojej powieści.

Ze zdziwienia łyżka z makaronem wypadła mi z dłoni, tak że grzybowy sos rozlał się po obrusie. Wiedziałam najlepiej, że powieść mogła być bestsellerem, a wydawcy wpłacili już zaliczkę na konto Falbera, więc tym bardziej zdumiała mnie jego decyzja.

– A wydawca? Prasa? Co im pan powie?

– Na tym właśnie polega moja niespodzianka. Chytry trik pisarza zgodnie wysłanego na twórczą emeryturę. – Falber zawiesił głos. – Wywiążę się ze zobowiązań, polecając im inną książkę.

Tu doprawdy mnie zaskoczył. Nie wiedziałam, że w zanadrzu ma coś jeszcze.

Pisarz jednak zaprzeczył.

– Chcę przedstawić im twoje wspomnienia.

Przerwałam zbieranie sosu z obrusa, a Falber mówił dalej, nie czekając, aż odzyskam głos.

– Jutro zaprezentuję wydawcy twoje zapiski o Anielinie. Musisz bowiem wiedzieć, że naczelną rolą literatury jest ochrona minionego świata przed zapomnieniem. – Głos Falbera drżał, jakby pisarz obawiał się, czy jego słowa nie brzmią zbyt akademicko, górnolotnie. Sapnął cicho, wypuszczając powietrze z płuc: – Chcę więc w ten sposób chronić ten kawałek świata, który przypadkiem stał się i mój, wraz z tymi wszystkimi geniuszami i szaleńcami – tu, omijając wzrok babci, dyskretnie puścił oko w moim kierunku – którzy przetoczyli się przez ten dom.

Alina przyznała mu rację, co nie było wcale zaskakujące, zważywszy na to, jak ostatnio bardzo się we wszystkim zgadzali...

* * *

Latem tego roku, w którym umarła Zofia, a Antek Szulc ustanowił fundację, drzewo oliwne Jürgena po raz pierwszy wydało owoce. Zielone oliwki długo dojrzewały w upalnym środkowoeuropejskim słońcu, aż wreszcie, po wielu miesiącach, gotowe były do zbiorów.

Kiedy wszyscy żyjący we wsi ludzie zapomnieli, skąd to cudowne drzewko przybyło i dlaczego pewien pruski lotnik poświęcił tyle sił, by je zdobyć i zasadzić – ono wydało swój plon. Dla niego i dla nas, jego potomków.

Nie wiadomo, co pomyślałby pradziadek Jürgen, widząc ręce Mariusza wyciskające w pocie czoła z jego owoców bezcenny nektar, ale jedno jest pewne, byłby szczęśliwy, tak jak byliśmy my. Nagle zdałam sobie sprawę, że to nie powtarzalność rzeczy, lecz ich pierwotność i dziewiczość sprawiają, że są najprawdziwsze.

– Pierwsza, najprawdziwsza, nasza anielińska oliwa! – Mariusz z dumą zakołysał zielonym, gęstym płynem w szklanym naczynku. – Extra vergine!!!

– Extra vergine... – wyszeptałam w ślad za nim.

Cokolwiek próbowałabym wówczas powiedzieć i tak byłoby to niczym w porównaniu z wielkością niepozornego drzewka, którego dojrzewanie przypadło na epokę wojen, przemocy, na wiek miłości, narodzin i śmierci. Tak jak ta oliwa było cząstką tej świętej, anielińskiej ziemi, cząstką każdego z nas.